따로 또 같이

따로 또 같이

발행일 | 2024년 1월 22일
지은이 | 박현진
펴낸이 | 한건희
펴낸곳 | 주식회사 부크크
출판사등록 | 2014.07.15.(제2014-16호)
주 소 | 서울특별시 금천구 가산디지털1로 119
        SK트윈타워 A동 305호
전 화 | 1670-8316
이메일 | info@bookk.co.kr

정 가 | 15,800원
ISBN | 979-11-410-6633-8

www.bookk.co.kr

늘 두 선택이 기다린다

따로 또 같이

박현진 지음

사랑할수록 따로 또 같이

BOOKK✎

들어가는 글

최초의 인간이 있었다. 그는 엄청나게 빠르고 힘이 세고 거만했다. 네 개의 팔과 다리, 두 개의 성기를 가지고 있었다. 앞뒤로 자유자재로 움직일 수 있는 능력도 있었다.

그는 막강한 힘으로 신을 위협하기까지 이르렀다. 이런 상황을 보다 못한 신은, 그를 반으로 갈라놓았다. 그 후 인간은 자신의 반쪽을 찾아 헤매게 되었다.

인간은 반쪽을 만나도 완전히 합쳐질 수 없다. 결코 이루어질 수 없는 우리의 바람에 불과할 뿐이다. 우리는 출산을 통해 어느 날 갑자기 엄마로부터 떨어져 바깥세상을 만나게 되었다.

불완전한 우리는 이러한 비극과 슬픔에도 불구하고 자발적으로 사랑을 꿈꾼다. 사랑한다는 것은, 인간을 아름답게 만드는 것이다.

인간은 모두 다른 존재이며, 서로 다른 생각과 감정을 가지고 각자 다른 경험을 하며 세상을 바라보고 있다. 때로는 미미한 차이로 갈등이 생기기도 한다.

우리는 서로를 인정하고 존중하며, 상대방을 위해 노력하는 일이 중요하다. '너의 생각이 틀렸어.'가 아니라 '너의 생각도 맞아.'라는 말이다. 따로 잠시 떨어져 있어도 한 방향을 바라보고 같이 가는 것이, 항상심을 유지할 수 있고 서로 자유로울 수 있다.

박현진

차례

제 1 장

동그라미가 되고 싶은 네모

낭떠러지에 떨어져 보면 안다!
선 자리가 낙원이라는 것을!

햇살이 내려앉는 담벼락 아래, 천진남만하게 피어있는 채송화꽃을 마주하니 행복하다. 흰 구름을 안은 하늘은 하얀 미소를 흘린다. 사방이 눈부시게 찬란하여, 구석진 마음에 담아 두고 싶은 오늘!

나는 하루도 그르지 않고 책 속에 빠져들어, 귀인들을 만나는 소중한 시간을 갖는다. 또 내일은 다른 이들에게 나의 이야기를 들려주는 일이 설레고 즐겁다.

01. 밉상

    영하는 아침 일찍 시장을 보기 위해 주차장을 벗어나고 있었다.

    "아침부터 어디 가세요?"

    이웃집의 혜진이었다. 유리창을 내리고는 반갑게 대답했다.

    "시장갑니다."

혜진은 한 치의 망설임도 없이 차에 오르며 말했다.

"나도 시장 가는데, 같이 갑시다!"

영하는 혜진이와 시장 가는 길을 동행하게 되었다. 한 동네 나란히 살고 있지만, 만나서 이야기할 시간이 별로 없었다. 그런 관계로 두 사람이 너스레 떨기 좋은 시간이었다.

혜진은 뜬금없이 입으로 운전하기 시작했다.

"다음 신호에서 우회전하세요!, 이쪽으로!, 저쪽으로!"

영하는 느닷없는 간섭에, 운전하는데 집중이 되지 않았고 기분이 언짢아졌다.

시장에 도착해서 각자 일을 보고 다시 만나 집으로 출발했다.

"볼 일이 있는데! 잠시만 세워 주실래요? 나온 김에 들릴 때가 있어서."

혜진이 원하는 곳에 내려 주고 한참을 기다렸다. 지루하기 짝이 없었다. 일을 보고 돌아온 혜진은 장난기 섞인 말을 던졌다.

"오래 기다리게 해서 미안 해용!"

다음 날, 차 문을 열자 썩은 생선 냄새가 진동했다. 차 내부를 살펴보니, 뒷좌석에 생선 물이 흘러 누렇게 되어있었다. 순간적으로 짜증이 올라왔다. 당장 전화하고 싶었지만 참고, 세차장으로 향했다.

며칠 후, 영하는 백화점 가는 길에 다시 혜진을 만났다.

　　"어디 가세요?"
　　"백화점 가요."

　　혜진은 차에 한 발을 올려놓았다.

　　"마침 잘됐네! 같이 가요!"

　　영하는 사실 태워주고 싶은 마음이 없었다. 그렇다고 이미 탄 사람을 내리라고 할 수도 없었다. 기분이 유쾌하지 않았다.

　　백화점에서 영하는 일이 금방 끝으나, 혜진은 3시간 넘게 쇼핑하며 돌아다녔다. 영하는 저녁 시간이 되어가니 마음이 급해졌다.

늦게 돌아온 탓에 정신없이 허둥대다가 마음이 불편해지기 시작했다. 이후 혜진을 생각하면 왠지 신경질이 올라왔다.

'거절하지 못한 나의 마음일까!'

며칠 후, 산책길에서 혜진을 만났다. 이야기 도중, 영하는 아직도 없어지지 않은 차 안의 고약한 냄새가 떠올랐다.

"혜진 씨! 그날 시장 갔다 오는 날 차에 생선 물이 흘러 있었어요. 세차장에 가서 세차는 했지만, 썩은 냄새때문에 죽는 줄 알았어요."

듣고 있던 혜진은, 기분 나쁘다는 듯 못마땅한 표정으로 얄밉게 대꾸했다.

"세차비 물어 줘야겠네!"

영하는 자신의 진심을 말했다.

"그게 아니에요!"

말을 하고 나니, 자신도 화가 치밀고 서운한 감정이 솟구쳤다.

'삐쳤나? 뭐야? 내가 삐쳐야지! 흥! 기분 더럽게 나쁘네! 한마디 해줄까?'

한마디 더 하면, 싸움 날 것 같았다. 영하는 말없이 돌아와 버렸다. 생각할수록 자신만 생각하는 혜진이가 뻔뻔스럽고 밉살스러웠다. 얼마간은 불쾌하고 불편하여 피하게 되었다.

시간이 지나고 보니, 한구석에 꺼림직한 마음을 없애고 잘 지내고도 싶었다. 고민 끝에 서로 잘 지낼 방법을 고민해 보았다.

혜진이 말한다.
"어디 가세요?"

영하가 되물어본다.
"그쪽은 어디 가세요?"

혜진이 답한다.
"시장 보러 가요."

영하는 한마디하고 떠난다.
"어떡하지? 나는 반대 방향으로 가는데!"

02. 1절만 하시죠

 살랑바람이 울긋불긋 형형색색의 단풍을 쓸어 가는 가을이었다. 가원이는 복잡한 도시를 벗어나 한적한 마을의 수련원에 도착했다.

 5박 6일간의 일정으로, 낯선 사람들과 '집단상담 프로그램'에 참가했다. 지도자를 포함해서 20명이 모여, 마음나눔을 통하여 자기성찰의 기회로 활용하는 시간이다.

 수련원은 아담하고 경치 좋은 곳에 자리하여,

시골 뒷산의 분위기를 느낄 수 있어서 좋았다.

가원은 수련원에서 보내는 시간이, 자신을 되돌아보는 계기가 될 수 있는 기대감에 설레었다. 사무실에서 접수하니, 방이 배정되었다. 세 명이 한 방을 사용하도록 했다.

아침 6시 일어나 일정표에 따라 정해진 식사 시간 이외는, 20명이 원을 그리며 둥그렇게 앉았다. 지도자의 질문과 참가자의 답변으로 이루어진 상담 프로그램이 시작되었다.

휴식 시간에는 한적하고 낮은 산길을 걷다 보니, 아무도 지난 흔적이 없는 들 마른 풀 속에 간간이 떨어져 있는 알밤이 하나씩 눈에 띄었다.

부스럭하는 소리에 돌아보았다. 앙증맞은 다람쥐가 억새 숲 사이로 지나다 말고 반가운 웃음을 지으며 빠르게 사라졌다.

저녁에는 휴식에 들 수 있었다. 잠자리에 들어 산속 첫날밤, 다른 세계를 경험하며 꿈속으로 빠져들었다. 가원이는 자연인이 된 듯 해방감으로 고무되었다.

같은 방에는 나이가 들어 보이는 두 분이 계셨다. 한 분은 미국 텍사스에서 오셨다고 했다. 또 한 분은 요양원 원장의 신분이었다.

가원은 두 분을 '미국 선생님', '원장 선생님'이라고 불렀다. '미국 선생님'은 과자와 선물들을 나누어 주기도 했다. 나이가 들어 아픈 곳이 많아서 낑낑거리는 소리를 내기도 했다.

한 살이라도 젊은 가원이는 다리를 주물러 드리면서 일상 속의 평범한 대화를 나누었다.
하룻밤을 지내고 보니, 조그만 소리에도 신경이 예민한 분이었다. 밤에 화장실 갈 때도 조심조심하고 다녔다.

다음 날 옷장을 열다가 덜컥하는 소리를 내고 말았다.

"겨우 잠이 들었는데 무슨 소리야?"

'미국 선생님'이 일어나 큰 소리로 야단쳤다. 가원은 너무 놀랐다.

'나이 많으신 분이 성질 한번 고약하네! 그렇다고 싸울 수도 없고! 참는 것도 정도가 있지 야단까지! 좀 부드럽게 말하지! 잔소리 많은 할망구! 언제 봤다고!'

한소리하고 싶었지만 참았다. 쫓아내고 싶었다. 시간이 지나갈수록 까다로운 '미국 선생님'의 비위를 맞추는 일이 쉬운 일이 아니었다. 수련장에서 민폐를 끼치는 모습이 너무 싫었다.

마지막 날이었다. 저녁 늦게까지 프로그램이 이어졌다. 저마다 어머니를 생각하며 평소 잘못에 용서를 비는 행사 프로그램이었다. 지도자의 선창에 맞추어, 조용한 분위기로 '어머니의 마음'이라는 노래를 합창했다.

"낳실제 괴로움 다 잊으시고~"

이후 적막한 시간이 흐르고 있었다. 가운데 작은 불빛만 보이도록 하고 나머지 형광등은 꺼졌다.

한 사람씩 가운데로 나와 어머니에 대한 감사한 마음을 전하기로 했다. 고요함 속에 어머님을 생각하며 훌쩍거리는 소리도 들렸다.

그때였다. 캄캄한 큰 강당에 뚜벅뚜벅 소리가 들렸다. 모두가 숨을죽이고 가만히 있었다. 어둠을 가르고 나타난 원장선생님은 마이크를 잡고 진중하게 한마디했다.

"내가 어제 장기자랑 시간에 '틀니'를 빼고 노래를 불렀습니다. 지금은 '틀니'를 꼈습니다. 제대로 한 곡 부르겠습니다."

구슬프게 늘어뜨린 목소리로 적당히 발을 굴리며 트로트를 굳이 2절까지 불러댔다. 모두가 울음이 아닌 웃음소리가 그치지 않았다.

애써 만든 프로그램은 엉뚱한 방향으로 흘렀다. 낄낄거리는 소리를 듣고 있던 지도자는 한마디했다.

"수련원이 생긴 이후, 전대미문의 일이 생겼네!
하하하."

03. 금 좋아하시네

　민수는 어느 교수님의 강의가 있어서 신청했다. 일찍 와서 차를 한잔하고 강의하실 교수님의 프로필과 강의 주제를 보고 있었다.

　오늘 강의에 출석한 분들은 나이가 좀 들어 보이는 중년 남녀가 많았다.

　유익하고 재미있는 강의를 듣고 마칠 시간이 되어가고 있었다. 교수님은 목소리가 작고 부정 교합처럼 뒤쪽에서는 잘 들리지 않아 알아듣기가 힘들었다.

뒤에 앉은 남자분들도 지루했는지, 한 분이 주
제와 맞지 않는 질문을 했다. 교수님은 당황하여
웃었다. 교수님이 졸고 있는 사람들의 심리를 얼
른 알아차리고 말했다.

 "마칠 때도 다 되어 가는데 재미있는 이야기 하
나 하겠습니다."

 경청하던 사람들은 이구동성으로 반기는 목소
리였다.

 "우리가 살아가는 데에 꼭 필요한 '금'을 세 가
지만 말해보세요."

 그러자 참가자들은 웅성거리며, '금'이 들어가
는 단어를 말하기 시작했다. 교수님이 말씀하기
시작하셨다.

"우리 인간은 흔히 '몸'과 '마음'으로 이루어져 있다고들 하지요. '몸'과 '마음'이 소중하기는 마찬가지겠지만, 저는 개인적으로 '몸'이 더 소중하고 여기는 사람입니다. 왜냐하면 '마음'이 아무리 맑아도 '몸'이 아프면 견뎌내기 힘들어지니까요.

첫 번째 '금'은 '소금'입니다.
인간은 '소금'이 없으면 살 수 없습니다.

다음은 자본주의에서 생활하기 위해서는 돈이 필요합니다. 우리가 직장 생활하는 이유는 인간관계를 맺고, 일하는 즐거움에 삶을 보람을 느끼기도 합니다. 하지만 그 뿌리에는 생활하기 위한 돈을 벌기 위한 일입니다.

두 번째 '금'은 '황금'입니다.

최종적으로 더욱 중요한 '금'이 있습니다. 우리는 삶을 과거, 현재, 미래로 구분하죠. 본래 지난 과거는 이미 가버렸으니까 없고, 앞으로 다가올 미래는 오지 않았으니까 없는 겁니다. '지금' 바로 이 순간의 '현재'에 살아야 합니다.

그래서, 세 번째 '금'은 '지금'입니다.

물론 미래에 대한 희망을 잃고 살라는 이야기는 전혀 아닙니다. 결국 우리가 살아가는 데에 꼭 필요한 '금'은 '소금', '황금', '지금'입니다."

강의장은 숙연해지면서 교수님 말씀에 공감하는 분위기였다. 민수는 어느 책에서 읽은 철학자의 말이 떠올랐다.

'그래! 소금, 황금, 지금이야!'

교수님은 말씀을 이어갔다.

"지금 말씀드린 세 가지의 '금'보다 더욱 중요한 한 가지 '금'이 더 있습니다. 이것이 없으면 삶이 생기를 잃고 재미없어집니다. 무엇인지 눈치채셨나요?

이것은 바로 '궁금'입니다.

다른 표현으로 호기심이라고도 하지요. 세상에 대한 끊임없는 탐구심이 내 인생을 풍요롭게 이끕니다.

삶 자체가 수련입니다. 나이가 들수록 혼자 사색하는 법을 배우면 좋겠죠. 고독이 필요한 시점입니다."

민수는 강의를 듣고 많은 것을 얻었다는 생각이

들었다. 오늘의 강의내용을 아내에게 들려주고 싶어 귀가를 서둘렀다. 현관에 들어서자마자 아내에게 말했다.

"우리가 살아가는 데에 꼭 필요한 '금' 세 가지가 있어! 뭘까?"

아내는 야릇하고 얄궂은 표정으로 답했다.

"가장 소중한 것은 당연히 '현금'. '송금', '지금'이라고 생각해."

04. 십 년 만에 찾아온 동창

철민은 아침에 일어나니 몸이 찌뿌둥했다. 최근 몇 년간 감기로 병원을 찾아본 일 없었다. 생강차 한잔을 마시고 회복을 기다려 보기로 했다.

하루쯤 쉬면 되겠지 했지만, 다음날 역시 회복될 것 같지 않아 병원을 찾았다. 평소 다니는 병원에 가서 혈액검사를 해놓고 약을 받아 집으로 돌아왔다.

다음날 잠에서 깨니 발음이 어둔해지고, 말을

제대로 할 수가 없었다. 여태껏 한 번도 경험하지 못한 일이니, 겁이 덜컥 났다.

주섬주섬 옷을 챙겨 입고 병원에 갔다. 신경과에서 뇌경색이라는 진단이 내려졌다. 종합병원으로 옮겨 입원 절차를 마치고 재검사에 들어갔다.

시간이 지날수록 말이 어둔해지는가 하면 왼쪽 팔다리에 힘이 없어졌다. 의사가 말했다.

"뇌혈관이 막혀서 생기는 병입니다."

말로만 듣던 뇌경색이라니! 청천벽력 같은 의사의 말에 눈앞이 캄캄했다. 철민은 소리 지르고 싶었다.

'이 나이에 하필 왜 나에게? 내가 무엇을 잘못했길래?'

어떤 말로도 위로가 되지 않았고, 당장 답답함은 견디기 힘든 혹독한 고문이었다. 의사는 덧붙여서 조언했다.

"좋아지기는 어려우니 더 심해지지 않게 노력해 봅시다."

철민은 말도 하지 못하는 이런 상태로, 살아가야 한다는 심한 좌절감이 밀려왔다. 가족들, 친구들이 와도 말이 나오지 않으니, 침대에 몸을 누이고 눈만 멀뚱멀뚱 바라봐야 하는 신세가 되었다.

한순간에 이 엄청난 일이 벌어졌다. 몸덩이가 짐 덩이로 변했다. 내 몸을 내 맘대로 할 수 있을 거라는 생각은 착각이었다.

시간이 지날수록 의사의 이야기는 희망은커녕 암울한 얘기뿐이었다. 철민이는 물리치료로 눈물

겨운 재활훈련을 해나갔다.

가족, 지인들이 문병을 왔고, 모두 안타까워하며 동정의 눈빛으로 바라보았다. 아직 젊은 나이에 어쩌나 하는 눈치였다.

철민은 만사가 싫어, 죽고 싶은 마음뿐이었다. 날이 갈수록 고민은 깊어져, 자신을 참혹하게 밀어 넣었다.

'어떻게 하면 죽을 수 있을까?'

심한 우울감에 생을 마감할 생각을 하고 절망의 늪에 빠져 있던 어느 날, 고등학교 동창들이 문병을 왔다. 친구들은 하나같이 진심으로 쾌유를 기원했다.

"큰일 하던 사람이 이럴 수가 있나. 어떻게 이런

일이!"

친구 승기가 침대 가까이 왔다. 냉정한 얼굴로 빈정대는듯한 표정을 지으며 말했다.

"네가 그렇게 거만하더니! 지금 벌 받는 것을 알 겠나!"

철민은 가슴을 훑고 지나는 섬뜩함을 느꼈다. 승기는 철민을 부러워하다가도 속으로는 은근히 미워하고 있었다.

'학교 다닐 때부터 부자 아버지 덕분에 미국 유학, 박사 학위, 명문대 교수로 출세하여, 존경과 인기를 한 몸에 받더니!
도도함이 하늘을 찔렀지! 언제까지 가나 보자 했다! 정말 못 봐주겠더라! 그래. 꼴좋다! 진짜 고 소하네! 그래서 세상은 공평한 거야!'

승기는 오늘 측은지심보다 복수하러 왔다. 철민이는 말을 할 수도 두 발로 걸어 다닐 수도 없으니 반응조차 할 수 없었다. 물끄러미 쳐다보는 것이 전부였다.

　철민은 승기가 이해할 수 없었다. 차갑고 저주스러운 표정이 비수가 되어 참을 수 없는 분노로 끓어올랐다.

　'그렇게 할 것이라면 왜 왔지? 아픈 나에게 이 날을 기다려 복수하려고 왔다는 말인가?'

　철민은 몇 날을 울면서 괴로워했고 잠을 설쳤다. 한편 자신을 돌아보며 생각했다.

　'도대체 내가 무엇을 잘못했단 말인가?'

　알 길이 없었다. 말이 안 나오니 물어볼 수도 없었다. 항상 말하는 사람은 몰라도 당하는 사람

기억하게 되어있다.

  이후 아무리 생각해도 알 수 없었다. 도저히 승기를 용서할 수 없었다. 생각할수록 가슴은 더 아려왔다. 사경을 헤매고 있는 철민이에게 불덩어리를 던진 이유가 궁금했다.

  철민이는 각고의 노력 끝에 조금씩 기적이 일어나고 있었다. 몸과 마음 치료를 게을리하지 않았고, 죽을힘을 다해 물리치료를 충실히 하여 빠르게 회복하고 있었다.

  시간은 걸렸지만, 담당 의사는 기적이라고 말했다. 완쾌는 아니어도 소통하는 데는 아무 문제가 없었다. 너무도 다행히 정상적으로 걸음걸이도 회복되어 기적이 일어났다.

  그러던 어느 날 문병을 왔던 승기가 떠올랐다.

다시는 보지 말자고 꽁꽁 빗장을 쳤던 친구지만 마음이 불편했다.

'혹시 나도 모르게 승기에게 상처 주었던 일이 있었을까?'

승기를 찾아가 무슨 일인지 알고 싶었다. 잘못이 있다면 화해해야겠다고 생각했다.

퇴원 후 어느 날 승기를 찾아갔다. 승기는 눈앞에 나타난 철민을 보고 묘한 표정으로 놀라 엉거주춤 일어섰다.

'저승에 있을 친구가? 꿈이 아니지?'

자기 눈을 의심하는 듯 뒷걸음질 치며, 눈동자가 충혈되어 겸연쩍게 바라보았다. 철민은 한때 모든 것을 잃었다.

그토록 날 증오하는 것이 무엇인지 모르겠으나, 속내를 듣고 화해하기 위해 먼저 찾아온 것이다. 서로가 불편한 얼굴이 역력했으나, 마주 앉아서 차를 주문했다. 철민이는 말했다.

　"승기야! 너에게 부탁이 있다. 혹시 나한테 좋지 못한 기억이 있는 것 같은데?"
　"있지!"
　"말해 줄 수 있어?"
　"말해도 돼?",
　"응."

　승기 손에 들려있는 컵이 떨리고 있었다.

　"예전에 말이야. 내가 회사에서 강제 퇴직을 당해 힘든 시절이 있었다. 아내에게 출근한다고 말하고 몇 달을 산을 헤매고 다닐 때였지.

돈이 필요해서 너를 찾아갔었다. 그때 너는 아무 말 없이 은행을 다녀와, 내가 원하는 돈을 빌려주었다. 그리고 이런저런 잔소리를 장난삼아 늘어놓더군!"

"십 년 만에 찾아온 이유가 돈이었어? 혹시 손장난하는 거 아니지? 여자 생긴 건가?"

"나는 너무 듣기가 싫었다. 어처구니없는 충고로 들리더라. 나는 그 자리에서 돈다발을 너 얼굴에 내던지고 싶었다.

너를 죽이고 싶도록 미웠다. 그러나 당장 내 처치를 생각하여 참았다. 그리고 6개월 지난 후에 그 돈을 모두 갚았다.

지금 생각하면 내 안에 쌓여 있던 화를 억제하

지 못할 때였다. 내 형편이 워낙 어려워서. 당장 돈이 필요해서 가지고 나왔지만, 한없이 자괴감이 들었다.

고마움보다 '너! 두고 보자!'라는 생각이 들었고 이를 갈았다. 돌아서서 나오는 순간 내 눈에서는 나도 모르게 눈물이 뚝뚝 떨어졌다.
그 눈물 속에서 두 주먹을 쥐고 다짐했다.

'그래. 네가 출세하고 잘 나가지만, 언제까지 그러나 지켜볼게!'

못난 내가 미웠고, 네가 너무 부러웠다."

그 이야기를 듣고 철민이는 친구에게 미안하다고 정중히 사과했다.

"승기야! 정말 미안하다! 진심으로 사과해!"

철민이는 승기의 손을 잡았다. 철민이도 승기도 마주 보며 눈물방울을 삼켰다. 철민이는 지난날 자신이 한 태도를 인정하고, 교만함을 반성했다.

철민이는 지금도 승기를 떠올리면 생각이 났다. 승기에게 미안한 마음이 기억 속에서 늘 아른거리고 있었다.

'참 힘들었겠구나! 내가 너무 했구나! 어떤 상황이든, 힘든 사람에게 혹여 내가 한 말이 상대방에게 충고로 들릴 수도 있다. 내 이야기가 다른 사람에게 충고로 들렸다면, 내가 충고한 것이다. 친구야! 내가 잘못했어! 오랫동안 힘들었겠구나!'

05. 내 것이 아닌 것들

  양지는 호숫가에서 서성였다. 저무는 햇살이 낭만적인 빛을 드리우고 있는 오후, 아슬아슬하게 벽을 붙잡고 있는 담쟁이는 앙상한 줄기만 남아 봄을 기다리고 있었다.

  꼬이고 비틀어진 줄기는 이슬 내려앉기를 소원하고 있었다. 양지는 좁고 허름한 집을 나와 근처의 호숫가를 찾았다.

  호숫가 주변이 잡풀로 우거져 있었다. 보이지 않은 바람 소리만 들릴 뿐, 늘 조용하여 양지의 마음을 가라앉혀 주었고, 물은 맑고 청정했으며 호수는 양지를 불러들였다.

하늘을 품어 푸르디 푸르름으로 아름다움을 유지하고 있는 자신만의 정원!

한결같은 자연에 속살 깊숙이 스산한 쓰림이 스쳐 지나갔다. 슬픈 날은 비를 불러 슬프게 울었다. 우울한 날은 구름을 불러 시끄러운 천지를 덮어버릴 수 없는지 물었다.

마음이 날뛰는 날에는 바람으로 날려버리라고 부탁했다. 멀리 하늘의 끝을 하염없이 바라볼라 치면 마음은 부자였다.

'내 정원이면 좋겠다!'

양지는 호숫가 주위를 거닐고 있었다. 어디에선

가 인기척이 났다. 출중한 남자가 가까이 다가왔다가 바람처럼 휙 지나갔다.

다음날 같은 시간에 왕자의 모습으로 잘생긴 남자가 다가왔다. 비싼 금시계 위에 달린 다이아몬드! 부자에 대한 갈증이 있는 양지는 오감을 곤두세웠다. 돈 많은 부자라는 생각이 들었다.

"볼에 붉은 하트가 묻었다!"

양지는 얼굴이 붉어졌다. 부끄러워 작은 소리로 말했고, 남자는 화답했다.

"이런 아름다운 호숫가에 집 짓고 싶어요!"
"내가 당신이 원하는 호숫가에 집을 만들어 드린다면?"

그렇게 말하고는 왕자는 사라졌다. 양지는 상상

속에서 수많은 날을 부자에 도취 되어 아무런 일을 할 수가 없었다. 오직 바라는 것은 부자였다.

다음날도 그다음 날에도 호숫가를 거닐었다. 하루 이틀 한 달, 두 달, 1년, 2년을 기다려도 남자는 나타나지 않았다.

세월이 지난 어느 날, 흰 수염의 사나이가 나타나 말했다.

"혼자니 동행해 드릴까요?"

둘은 한참을 말없이 걸었다. 사나이가 총명해 보이는 눈동자를 굴렸다.

"요리를 잘하세요? 된장찌개를 내 입맛에 맞게 할 수 있다면, 그대가 원하는 돈은 원 없이 쓸 수 있게 해줄 수 있소!"

양지가 가장 자신 있는 요리가 된장찌개가 아니겠는가! 돈이라는 소리에 양지는 귀가 쫑긋했다. 목소리를 가다듬고 속삭이듯 말했다.

"세상에서 제일 맛있는 된장찌개를 만들 수 있어요! 그대는 부자입니까?"

사나이는 살짝 몸을 돌리며 말했다.

"그대가 가지고 싶어 하는 것은, 다 사줄 돈은 충분히 있소!"
양지는 마음속으로 다짐했다

'도망가면 하늘 끝까지 따라가야지'

양지가 물었다.

"그대는 어디 삽니까?"

사나이는 말했다.

"아름다운 호수가 있고 새가 노래하는, 아름다운 정원이 있는 집이요. 무엇이 더 필요해요?"

양지는 혹시 놓칠세라 질리지 않은 목소리로 노래를 부르고 종종걸음으로 뒤를 쫓았다. 사나이는 기약도 없이 사라져버렸다.

그리고 10년이라는 세월이 흘렀다. 푸른 초목이 바람에 일렁거리고 초록 잎 사이사이 앙증맞은 빛깔의 새들이 노래하는 오후였다.

호숫가에서 양지는 신발이 도망가는지도 모르고 달려갔다. 그대가 만들어준, 아름다운 호숫가 별장에서 한가한 시간을 즐기고 있었다.

언제나 아름다운 초목이 사라지지 않는 푸른 정원! 새들이 놀다가는 낙원 같은 집! 주방에서 된장찌개를 끓이는 행복한 여자로 변했다. 양지는 이미 상상하지 못할 만큼의 큰 부자로 변해 있었다. 설명할 수 없는 재력의 주인이 된 것이다.

어느 날 어머니가 위독하다는 전화를 받았고 병원으로 갔다. 어머니가 중병이 걸릴 거라고는 상상도 하지 못했다.

양지는 남은 날이라도 최선을 다해 효도하고 싶었다. 어머니를 살릴 수 있는 의사를 찾아 명의를 만나 엄마를 살려달라고 애원했지만, 어머니를 떠나보내고 말았다.

어머니가 없는 세상! 더 살아 있는 이유를 찾지 못했다. 전 재산을 흥청망청 탕진해 날려 보내고 말았다.

양지는 호숫가 벤치에 앉았다. 아름다운 호수에

새소리가 들렸다. 하얀 새, 까만 새가 이야기하는 소리가 들렸다.

"배고프다 어서 가자!"

까만 새는 말했다.

"어서 가서 뭐 하게? 당신은 감이 떨어지네! 요새는 말이야! 금수저 만들어주지 못한 부모는 천덕꾸러기라고! 결국은 자식에게 귀찮은 존재라는 말이야!"

새도 날아가 버린 후 다시 과거의 거닐던 호수를 걷고 있었다. 양지는 하염없이 걷고 다시 걸으면서 지난날을 회상했다.

어둠이 내려앉은 호숫가에서 파랑새를 발견했다. 파랑새는 날아가 다른 가지에 앉았다. 양지는 어두워지는 줄도 모르고 주저앉아 있었다.

　나뭇가지를 주시하며 나무를 흔들어 보았다.
오래된 고목이라 움직이지 않았다. 양지는 어둠
에 떨고 있었다. 그는 빗속에서 우산을 건네고 사
라졌다.

　꿈이었다.

06. 화물차와 맞장떴다

　사람도 편한 사람이 좋고, 옷도 편한 옷이 좋고. 가는 곳도 편한 곳을 찾는다. 선옥은 다양한 먹거리와 구경거리가 많고, 왠지 모를 정감이 가는 오일장을 좋아한다.

　근처 오일장을 자주 다니는 편이다. 특히 시장 길에서 허름한 의자에 걸터앉아 먹는 호박죽의 맛이 일품이다.

　선옥이는 '장돌뱅이'처럼 오일장에 가면 즐겁

다. '장돌뱅이'란 오일장을 다니며 물건을 파는 사람들이 일컫는 말이다.

'장돌뱅이'라는 단어가 정겹다. 오일장 장사꾼들이 겸손하게 표현하는 말로 들린다. 장마다 구경 다니는 선옥은 '장돌뱅이' 이상이다.
장돌뱅이들은 물건을 다복다복 쌓아놓고, 지나다니는 사람들과 눈길을 맞추려고 부지런히 움직인다.

오일장의 일상은 특색있는 사투리와 꾸미지 않고 걸친 복장에다, 격식 없이 던지는 말투, 장을 보러온 사람들과 흥정하는 소리로 시끌벅적하다.
그야말로 야단법석이다. 볼거리 먹거리들 욕을 썩어 말해도 그런대로 알아듣는다. 어쩌다 눈길이 마주치며 얼른 한마디 한다.

"많이 드릴 테니 사세요."

그 말을 듣고 사람들은 쳐다도 보지 않고 그냥 가는 사람이 태반이다. 직접 작물 한 채소 과일 틀어지고 삐뚤어진 구황작물 들을 펴놓고 난장에서 파는 할머니, 할아버지도 눈에 띄었다.

팍팍한 세상! 눈길 한 번 마주치기만 하면 어떻게든 팔 수 있는데 그마저 쉽지 않은 것 같았다. 선옥이는 호기심으로 여기저기 기웃거리며 시장을 한 바퀴 돌았다.

'오늘은 무엇이 많이 나왔나?'

미네랄이 많이 들어있다는 다시마가 눈에 들어왔다. 시장 한 모퉁이에 나무판 하나를 놓고 그 위에 젖은 다시마, 미역 줄기를 팔고 있었다. 소금으로 염장하여 돌돌 말아 한 뭉치씩 만들어져 있었다.

그 아저씨는 나이가 60세 전후로 보였다. 오일장에 갈 때마다 그 아저씨를 만나게 된다. 나무판 앞에 가까이 다가갔다.

"다시마 얼마입니까?"
"다시마도 미역 줄기도 2천입니다."

시장에는 구경거리가 많아 돌고 돌아 시간 가는 줄 모르게 온종일 남의 눈치 보지 않고 다닐 수 있는 것이 시장이다.

다시마, 미역 줄기를 파는 여러 곳을 둘러보았지만, 처음 물어본 아저씨가 가장 상품도 좋고 싸게 팔고 있었다. 아저씨에게 가서 한 개 2천 원씩을 주고 미역 1개와 다시마 1개를 샀다. 제철 과일도 한 바구니 샀다.

다음 장날 살 것이 있어 일찍 시장에 나갔다. 다시마 아저씨가 나와 있었다. 매번 장마다 다시마를 열심히 팔고 있었다.

나는 다시마를 좋아하니 값을 싸게 주는 아저씨를 찾아가게 된다. 다른 데 보다는 싸게 파는 그 아저씨가 궁금했다.

"아저씨는 다른 데 보다 싸게 파니까 단골이 많겠네요?"

아저씨는 얼굴을 돌리면서 부끄러워하는 태도로 말했다.

"이 오일장에서 다시마랑 미역 줄기 장사를 20년이나 했습니다. 장사가 잘 안되어 다른 장사로 바꿀까 알아보고 있습니다."

담겨 있는 다시마를 전부 팔아도 얼마 되지도 않을 것을 20년이나 하고 있다는데 놀랐다. 무슨 사연이 있는지 알 수 없지만, 어딘지 다른 데가 있어 보였다.

선옥은 애잔했지만, 아저씨에게도 남모르는 깊은 뜻이 담겨 있을 것이고, 그 일이 최선일 수 있을 것이라는 생각이 들었다.

다음 장에도 여전히 아저씨는 길목에 서서 다시마랑 미역 줄기를 부단히 팔고 있었다.

그 후 반년이 지났다. 그 자리에 아저씨는 똑같이 널빤지에 다시마를 놓고 서 있었다. 그늘에 있어도 더운 오뉴월 땡볕에 서서, 한결같이 다시마를 팔고 있었다.

어느 장날. 아저씨 자리에 아줌마가 과일을 팔고 있었다.

"다시마 파는 아저씨는 어디 갔어요?"

아줌마는 슬픈 표정을 지으며 말했다.

"전번 장날, 그 아저씨는 집에 가는 길에 교통사고로 죽었어요."

장날 오후 길바닥에 널빤지와 미역이 길바닥에 내동댕이쳐 있었다. 옆에는 아저씨가 넘어져 있었고. 술에 취한 남자가 길 가다 널빤지를 넘어뜨렸다. 다시마 아저씨가 배상하라고 했지만, 그 술에 취한 남자는 사나운 얼굴로 대들었다.

"배상은 무슨! 엿같은 소리 하지 마라! 이 개새끼야! 누가 길에서 걷는 사람 불편하게 널빤지 깔라고 했나?"

발로 걸어차고 소리 질렀다. 다시마 아저씨를 넘어뜨리고 볼때기를 세게 갈겼다. 온순하고 힘이 약한 아저씨는 대항하지 못했다.

홧김에 근처 포장마차에서 못 먹는 술을 퍼마셨다. 집 가는 길에 건널목을 건너다 화물트럭에 정면으로 머리를 박고 떨어져 죽었다.

07. 남의 일에 끼워 들지 마라

　어느 여름 오후, 어두워지기 전에 시내 볼일이 있어서 버스를 탔다. 바깥 날씨가 찜통더위를 연상케 했으나, 버스 안의 에어컨 바람이 시원했다. 나를 위해 켜져 있는 것 같아 참으로 고마웠다.

　두 정류장을 지나자 버스 문이 열리고 남자 학생이 타는 모습이 보였다. 학생이 교통카드를 정산기 체크를 하는 것 같았다.

　운전기사의 부드럽지 않은 목소리가 들렸다. 학

생은 중간 좌석에 앉았다. 나는 뒤쪽에 앉아 있으니, 옥신각신하는 대화 내용이 무슨 말인지 시끄럽기만 했다. 운전기사가 야단치며 나무라는 듯했고, 분위기가 좋지 않았다.

'운전기사와 학생이 다투는 것이 요금 문제인가? 요금 문제 아니면 시비할 일이 없지!'

나는 지폐를 꺼내 기사에게 주면서 말했다.

"잔돈은 다음에 이 학생처럼 차비가 부족한 학생이 타면 태워주세요."

요즈음은 현금 승차하지 않으니, 잔돈이 없을 것 같아 한 말이기도 했다.
운전기사는 의아한 표정으로 힐끔 보더니 고개는 다른 곳으로 돌아갔다. 학생 못마땅한 태도로 뚫어지게 유리창을 보고 있었다.

'흥! 뭐야. 인사말은 하지 않아도 더러운 표정은 왜 하는 거야? 내가 못 할 짓 했나, 하지 말아야 했나?'

그렇게 버스 안은 조용해졌지만, 여러 생각이 들었다.

'운전기사의 저 못마땅함?, 또 학생은 왜?'

마음은 한참 동안 어지러이 허공을 헤매었다. 운전기사에게 가까이 가서 내가 한 행동이 잘못인지 물어보고도 싶었지만 그럴 필요까지는 길게 이어지지 않았다.

인도의 이름 없는 성자 이야기가 생각났다.

'나는 그대를 만나기 위해 이 버스를 탔다! 그러니 그대가 대신 내 차비를 무는 것이 당연하다!'

그렇게 몇 정거장을 지났을 때 벨이 울리더니, 문이 열렸다. 학생은 조용히 버스에서 내려 사라졌다. 나는 문득 몇 가지 사실을 깨달았다.

아무리 좋은 일이라 해도, 내가 한 행동이 항상 옳다고는 할 수 없다. 인정해주고 이해하는 수준에서 멈추자.

비록 작은 일이지만 오해로 시작되면 화해의 골이 깊어진다. 항상 자기 생각만으로 문제를 해결하기는 어렵다.

떠오르는 생각을 근거로 섣불리 행동으로 옮기는 일은 위험하다. 내 마음에서 일어나는 생각이나 말들이 틀릴 수도 있기 때문이다.

08. 짝사랑

오뉴월 펄펄 끓는 튀김 솥을 보기만 해도 숨이 막힐 듯 화기가 느껴진다. 엄마는 오뉴월 열기만큼이나 열불이 오르고 가슴이 아팠다.

온종일 튀김 솥 앞에서 일하고 있는 아들을 바라보는 것이 고통스러웠다. 하나밖에 없는 외동아들 누가 볼까 창피하기도 했다.

아들은 명문대학교를 졸업하고 대기업에 취직하여 엄마의 자랑거리였다. 어느 날 갑자기 다니던 직장을 상의도 없이 그만두었다.

실업자가 된 후, 다른 직장을 알아보고 있었다. 아내는 대책 없는 남편을 보는 것이 힘들었고 임시로 화장품 회사에 취직했다. 어느 날 아들과 엄마의 대화가 오갔다.

"엄마, 대출 좀 받아 주세요."
"얼마나?"
"2억이면 돼요"
"아버지와 의논해 볼게,"

엄마는 귀가 막혔다. 즉답을 피했다. 엄마는 대놓고는 말하지 못하고 중얼거렸다.

'멀쩡게 잘 생기고 명문대학 학생회장까지 한 녀석이 꼬락서니 좋다!. 어릴 때 같았으면 몽둥이로 뜸질해도 시원찮을 것을, '이놈아!'

가게를 도와줄 수는 있지만 대출받아 줄 여력은 없었다. 하필 통닭 가게를 차린다니 말이 안 된다고 생각했다.

그러는 아들이 그렇게 야속하고 속상할 수가 없었다. 아들에 대한 실망감에 눈물이 나고 잠이 오지 않았다.

몇 달 후 아들은 엄마에게 한마디 말도 없이 통닭 가게를 개업했다. 엄마가 물어보니까 아들은 쏘아붙였다.

"하필 이 오뉴월에 왜?"
"몰라요? 엄마도 술 잘 마시잖아요. 여름에는 치맥이라고!"

속상한 엄마는 친구를 찾아가 하소연했다. 가방에서 소주병을 꺼내어 마시면서 애간장이 타는 심정을 토로했다. 술에 취해 땅을 치며 통곡했다.

"이놈아! 너는 그럴 수 없다. 내가 어떻게 키웠는데. 다른 애들보다 몇 배 애지중지 키웠다. 알기나 해! 정신 차려 이놈아!"

온종일 아들 가게 도와주고 오는 길이다. 원하는 대출을 해주지 못하는 죄로 일을 도와주기로 했다. 술에 취해 눈동자가 반쯤 풀린 남자의 실없는 말장난을 했다.

"아줌마도 한잔하세요!"

가게에서 통닭 먹던 손님이 베트남에서 온 아르바이트 아줌마로 생각하는 것 같았다. 열불이 났지만, 꾹 참았다. 그렇지 않아도 속이 타들어 갔는데, 마침 잘됐다.

'까짓것 한잔해봐?'

슬쩍 아들 눈치를 보고는, 목도 마르고 화난 김에 잔을 받아 들이마셨다.

"한 잔 주세요!"

아들은 손님이 가고 난 후, 안고 있던 열불을 엄마에게 쏟아냈다.

"엄마가 접대부요? 남자들에게 술을 넓적넓적 받아 마시게?"

온종일 불 앞에서 받은 성질을 엄마에게 모두 내질렀다. 엄마는 화가 났다.

'속상해서 미치겠는데 이놈이?'

술병을 아들 얼굴에 던지고 싶었다. 넘어간 술기운은 붉어진 볼을 타고 순식간에 턱까지 눈물이 타고 내렸다.

 아들이 눈치채지 못하게 앞치마로 쓱쓱 닦으니, 서러움은 더 깊이 안으로 들어가 눈물이 마구 흘렀다.

 '아들 낳은 죄인가? 더러운 놈!'

 다음 날, 아들을 생각하니 안타까워 측은지심이 생겼다. 엄마는 땅이 꺼질 듯 긴 한숨을 쉴 뿐 다른 방법은 없었고 자신을 탓했다.
 '내가 잘못 키웠어. 내 탓이야!'

 오늘도 어김없이 통닭 가게에서 아들을 도와주고 있는 자신 모습에 스스로 놀랐다. 화풀이 대상이 엄마밖에 없다는 것을 아는 엄마는, 힘들어하면서도 아들의 주위를 맴돌고 있었다.

 아들이 던지는 핀잔을 들으며, 엄마는 힘이 들

어도, 자식을 위해 희생만이 오직 자신의 기쁨이
었다.

  '그래. 힘들지. 내 새끼!'

  아들도 엄마의 붉은 눈을 보며 미안하고 가슴이
아파 자리를 피했다.
  부모 자식 사이는 안 보면 보고 싶고, 보면 작은
것에 찔려 피가 나기도 한다. 이런 걸 짝사랑이라
했을까?

  '콩에 물을 주면서 집에서 키웠더니 콩나물이
되었고, 콩을 멀리 던졌더니 콩 나무가 되었다.'

09. 투정

　희숙은 엄마와 단둘이 살았다. 기억 속의 아버지는 술에 취해 엄마를 괴롭혔던 모습만이 남아 있었다.

　엄마는 아버지에 대한 원망이나, 고달픔, 속상한 것들을 희숙이에게 화풀이했다. 희숙은 엄마의 힘든 마음을 알고는 있었지만, 그러는 엄마가 싫었다.

　어느 날 아버지가 길에서 엄마를 밀어 넘어지게

한 채로 엄마 앞치마에 달린 호주머니를 털어 돈을 빼앗아 도망가는 것을 학교 갔다 오는 길에 멀리서 지켜보았다.

엄마는 도망가는 아버지를 보이지 않을 때까지 젖은 눈으로 바라보고 넋 놓고 울고 있었다. 희숙은 어른들이 하는 행동을 알고 싶지도 않았다. 엄마가 우는 모습도 불쌍한 생각이 조금도 들지 않았고 마음이 싸늘하게 식어버렸다.

그날 이후, 아버지를 한 번도 보지 못했다. 엄마는 시장 길목 난장에서 채소를 팔았다. 희숙은 엄마가 저녁 늦게 들어올 때까지 늘 혼자였다.

희숙이는 가슴속에 억울함이 가득 쌓여 있었다. 학교도 가기 싫었고 엄마의 말도 듣기 싫었다. 친구들과 모여 다니며 학생이 해서 안 되는 나쁜 짓은 다 하고 다녔다.

올바르지 못한 친구들과 어울려 다니며 애를 먹었고, 엄마가 학교에 불려 다니는 일은 늘 상 있는 일이었다. 엄마에게 희숙은 '미운 오리 새끼'였다.

엄마의 한숨을 희숙은 들었다.

"애물단지! 태어나지 말지!"

말썽만 부리던 희숙은 엄마를 향한 불만은 그침 없었다.

"죽어버릴 거야! 없어지면 되잖아!"

희숙이는 성인 되어서도 이유도 모르게 불쑥불쑥 화가 올라왔다. 누구에게든 화풀이하고 싶었다. 심술 굿은 마음이 생기곤 사라지기를 반복하곤 했다.

그러던 희숙은 엄마를 벗어나 도시에 일하게 되었다. 직장에서도 친구 간에도 다른 사람이 잘되는 꼴을 볼 수가 없었다.

잘난 사람을 보면 마음이 불편하여 잠이 오지 않았다. 어쩌다 자신을 돌아보는 날에는 무척 괴로웠다. 이런 생각도 들었다.

'내가 왜 이러지! 내 정신이 아니네! 내가 미쳤구나!'

모처럼 집에 가면 엄마는 좋아하는 음식을 만들어놓고 기다리고 있었다. 엄마는 희숙 얼굴을 바라보며 말했다.

"내 딸 얼굴만 보고 산다."

엄마의 그 말도 부담스러웠다. 희숙은 몇 시간이 지나고 나면, 보고 싶었던 그 마음이 없어지고,

자신도 모르게 엄마를 향한 짜증이 올라왔다. 엄마에게 말했다.

"엄마 일이 있어서 가봐야겠어요."

서운해하는 엄마를 뒤로하고, 짐을 챙겨 혼자 사는 집으로 발을 돌렸다. 오는 길에 자신이 하는 행동이 마음에 들지 않았다.

희숙은 엄마에게 무슨 짓을 하고 오는지 이해가 되지 않았다. 자신이 미웠다. 잘못인 줄 알면서도, 그러한 행동을 반복해서 하는 이유를 도무지 알 수 없었다.

금방 눈물이 방울 되어 떨어졌다. 왜 그랬는지? 화가 치밀어 가슴이 답답했다. 희숙은 다른 사람들처럼 엄마와 잘 지내고 싶었다.

남들처럼 좋은 관계로 회복하고 싶지만, 마음대로 잘되지 않았다. 자신도 속이 상했다. 일찍 혼자 되어 고생만 하는 엄마를 생각하면 슬퍼 가슴이 미어졌다.

서글픈 자취방에 들어와 혼자 앉으니 엄마 생각에 자신을 이해할 수 없었고 원망스러웠다. 소리 내어 울어 보았다.

"엄마! 미안해!"

마음이 더 복잡했다. 이후 희숙은 멘토를 만나 상담을 하면서 깨달았다. 우리 안에는 많은 사실들이 오랫동안 꺼내어 보지도 않은 채 저장되어 있었다. 회복되지 않은 상처가 수면 위로 다시 올라온다는 사실을.

자신도 모르게 엄마로부터 받지 못했던 사랑이 문제였다. 작은 일 들에도 지난 상처가 강하게 몰아치는 것이다.

　희숙이는 태어나 어릴 때 부모로부터 정당하게 받아야 할 사랑을 받지 못하여 마음에 몽니로 남아 있었다.

10. 내 생각만으로는 위험하다

여름 열기가 자취를 감춘 저녁 시간이다. 혼자 거실에서 스마트폰을 만지작거리고 있었다. 평생 가지지 못했던 이름 위에 다른 훈장 하나 더 생겨 기분이 좋았다.

'작가'
첫 작품이 출간되었다. 신기했다. 네이버 검색에서 내 이름을 확인하니 왠지 우쭐해지고 감격스러웠다.

기분이 좋아 가깝다고 생각하는 사람들에게 이

야기하고 싶어졌다. 먼저 친하게 지내는 동생에게 스마트폰 문자로 알렸다.

'나한테 좋은 일이 생겼다. 네이버에서 내 이름을 검색해봐.'

한참을 기다려도 아무런 답변이 없었다. 문자 표시를 확인했다.

'조용한 시간에 축하해 주러 그러겠지.'

나는 동생이 더 기뻐할 거라 착각했다. 동생은 문자를 확인하고 질투가 났다.

"나는 힘든데! 언니는 작가가 되었다고? 나한테 어쩌라고!"

자랑하니, 얄미웠고 질투로 속이 부글부글 끓어

올랐다. 차마 웃는 얼굴에 그럴 수도 없고 변명을 찾았다. 장단쳐 주고 싶은 마음이 없었다. 한참 후 문자로 답이 와 있었다.

'언니! 인터넷이 되지 않아!'

나는 깜짝 놀랐다. 무척 서운했다.

'미쳤나! 누구를 바보로 아나! 할만한 거짓말을 해야지, 참 어이 상실이네!'

그 후 기사를 보았다는 이야기는 없었다. 며칠이 지난 어느 날 문득 이런 생각하게 들었다. 내가 좋은데 다른 사람이 좋아해 주어야 할 이유가 없다는 것을 알았다.
좋으면 내가 좋은 것이지, 현재 다른 사람 마음이 어떤지 모르고 한 행동이 조금은 미안한 생각이 들었다.

동생이라는 이유로 장단 맞춰 주지 않는다고 속상해했던 자신이 부끄러웠다. 사람은 바라는 것이 없으면 너무나 자유롭다. 단지 내 욕심에 사소한 것들을 바라고 원해서 아픈 것이다.

인간은 심리적으로 다른 사람의 불행을 보고 쾌감을 느끼고, 행복을 보고 질투를 느낀다고 했다. 결국은 내 자랑이 문제였다.

상대에게 아무 생각 없이 자랑인 줄 모르고 했던 것이 다른 사람에게 상처가 될 수도 있다. 남들은 그다지 나에게 관심이 없다.

나는 이후부터 내 생각만으로 자랑하지 않기로 했다. 심리학자들의 말에 의하면 반드시 전 감정이 있다고 한다. 이전 감정과 지금 감정이 현재로 나타난다는 것이다.

지금 감정은 빙산의 일각이다. 잠재하고 있는 무의식의 감정이 언제나 지금 감정을 휘어잡는다. 무의식은 은밀한 창고라고 한다.

어릴 때 잠재해있던 찌꺼기가 치료되지 않은 채 숨겨져 있다가 어느 날 나갈 준비를 하고 기다린다. 적당한 시기에 밖으로 나오게 된다는 것이다. 언제인지 모르지만, 때를 기다린다고 한다.

사람들은 내면에 숨기고 꺼내지 않는다. 불편하면 불편하다고 말할 필요가 있다. 내 안에 불편한 마음을 숨기고 있으면, 나중에 더 큰 문제로 나타난다.

나는 작가가 되면 세상이 변할 줄 알았다. 그러나 시간이 지나도 그럴 리는 만무했다. 처음에는 누구나 다 무명이었다.

제 2 장

빛바랜 기억

잃은 뒤에 알 수 있다!
그 사람이 천사였다는 것을!

누구나 한 번은 사랑하는 사람을 보내야 하거나
생각하지 못한 일로 잃을 수 있다. 그대의 빈자리
를 보면 그 사람이 천사였다는 사실을 알게 된다.

삶이란 즐거움과 괴로움이 공존하여 살아간다.
즐거움 뒤에는 괴로움이요, 괴로움 뒤에는 즐거
움이 따라온다.

그러나 지칠 때는 힘든 것만 크게 보인다. 그 끝
자락에서 자신을 어둠 속으로 밀어 넣어 괴롭히
는 사람은 매우 어리석은 사람이다.

01. 대답이 없었다

  수경이의 부모님은 우유 대리점을 운영하고 있었다. 추운 겨울에도 더운 여름날에도 억척스럽게 일하는 모습이었다. 엄마는 의대 다니는 딸을 생각하면 힘이 어디서 나오는지 불끈불끈 솟아오르고 그런 장군이 없었다.

  하얀 가운을 입은 의사. 딸의 모습을 떠올리며 늘 행복했다. 친척들이나 친구들에게 부러움의 대상이었다. 수경 엄마는 저절로 입가에 미소가 번지며 말했다.

"내 딸이 의사만 돼봐라! 나 보기 힘들걸!"

수경이는 몇 개월째 사귀고 있는 남자가 있었다. 학교를 마치고 친구들과 모임이 있어 같이 저녁을 먹고 나와 스마트폰을 확인했다.
남친 전화가 30통 와 있었다. 깜짝 놀라 기절 수준이었고 짜증이 났다.

'뭐지? 내가 만나던 그 사람이 맞나? 어떻게 이런 일이 일어날 수 있을까?'

분수에 지나친 행동에 무서운 생각이 들었다. 엄마에게 지금껏 말하지 않았던 사실을 말씀드렸다.

"끊는 게 좋겠다. 그 사람 못 쓰겠다!"

보통 때 남친은 지나칠 정도로 집착하는 것이 부담스러웠다. 이후 줄기차게 연락해 왔으나, 전화도 받지 않았고 만나지도 않았다. 문자를 확인하는 정도였다. 어느 날 문자가 질리게 했다.

'100번 하려고 했지만 참는다.'

　수경은 남자 친구의 심각한 행동에 불안했다. 엄마의 말대로 헤어져야겠다고 생각했다.
　평소 남친은 수경에게 살뜰하고 자상한 편이었다. 생일날 선물을 챙겨주는 등 이벤트도 빠지지 않고 해주었다. 고마움은 사실이었으나 너무 잘해주어 불편할 때도 없지 않았다.

　어느 날 수경이는 귀가하는 길에 기다리고 있던 남친을 발견했다. 자신도 모르게 등골이 오싹했다. 피하려 했지만, 남친이 먼저 알아차리고 가까이 다가왔다. 남친은 부드러운 미소를 흘리며 수경이의 손을 잡았다.

"커피숍에 가서 이야기 좀 하지!"

두려웠지만, 차를 탈 수밖에 없었다. 찻집으로 가는 길에 수경은 헤어지자는 말을 꺼냈다. 분위기는 싸늘하여 서릿발이 내렸다.

남친은 그날 수경에게 사과하고 잘해보려고 했으나 수경은 받아들이지 않았다. 결국은 서로에게 돌이킬 수 없는 행동을 하고 말았다.

다음 날, 경찰에서 소식을 전해왔다.
"수경이가 죽었다니!"

싸늘하게 식어버린 딸의 손을 잡고, 보고 또 보았지만, 내 딸이었다.

"수경아!"

깊게 잠든 딸을 흔들어 불렀지만, 딸은 대답이
없었다. 엄마의 슬픈 울음소리는 주변을 눈물바
다로 만들었다.

수경은 사랑하는 엄마 곁을 머뭇거리다 아른하
게 사라져갔다. 남친에게 무차별 폭행당하여 병
원에 실려 갔으나 숨을 거둬 온기가 없었다. 이미
먼 길을 떠나가 버렸다. 바로 옆에 남친이 쓰러져
있었다.

며칠 후, 경찰은 남자의 사인을 알렸다.

"자살입니다."

02. 마음을 열면 봄이다

  현주는 저녁 식사 후 마트에 장을 보러 갔다. 이것저것 둘러보고 다니다 보니, 통에 담겨 있는 빨간 토마토가 눈에 보였다.

  유럽의 속담에 '토마토가 빨갛게 익으면 의사의 얼굴이 파랗게 된다'라는 말이 있다. 사람들이 토마토를 먹고 건강해져서 병원을 찾는 환자가 줄어든다는 의미이다.
  예로부터 약이 되는 건강식품으로 알려져 있다. 토마토를 한 통 샀다.

붉은 용과도 있었다. 피로를 풀어 주어 좋고, 식이 섬유가 풍부하여 다이어트에 도움이 된다고 하여 내가 즐겨 찾는 과일이다.

여느 과일처럼 마트에서 흔하게 보이지는 않는 과일이다. 요즘은 제주도의 온실에서 용과가 생산되고 있다고 한다. 진열되어있는 용과 7개 모두를 바구니에 담았다.

한 아줌마가 계산대에 서 있는 청년에게 무슨 일인지 모르겠으나 소리를 지르고 물건을 집어 바닥에 던졌다.

아줌마는 풍성한 몸을 가진 만큼이나 큰소리를 지르고 있었고, 직원은 제자리에 서서 야단을 맞고 있었다.

옆에 있는 밀감 상자에 밀감이 구르고 있었다. 잘 정리된 물건들이 떨어져 엉망진창이 되어있었다. 아줌마 큰 소리에 분위기는 어수선했다.

그래도 화가 풀리지 않았는지, 과일상자를 발길로 걷어차며 소리 질렀다. 직원은 굳은 소리를 다 듣고도 대꾸하지 않았다. 사람들이 모여 들어 웅성거렸다.

현주는 계산하기 위해 줄 마지막에 차례를 기다리고 있었다. 아줌마가 화가 풀릴 때까지 그러는 이유가 궁금했다.

직원을 위로해 주고 싶었고 소리 지르는 아줌마를 설득하고 싶었다. 옆 계산대 직원에게 물어보았다.

"어제 아줌마가 용과를 사러 왔다가 그냥 갔어요. 직원이 내일 들어 온다고 말했데요."

그런데 오늘 오후 늦은 시간에 와서 용과가 없다고 소란을 피우고 있었다. 딱한 노릇이었다. 일

102

찍 오지도 부탁도 하지 않았다. 모두 팔리고 없는 물건을 소란을 피운다고 해결될 일이 아니었다.

아줌마를 이해할 수 없었다. 현주는 얼른 내 장바구니에 담긴 용과를 확인하고, 아줌마가 필요한 만큼 주었다. 아줌마는 미안했는지 겸연쩍게 웃으며 말했다.

"오늘 저녁 제사 쓸 용과 사러 왔어요."

현주는 계산이 끝내고 밖으로 나왔다. 복도에서 마침 그 마트에서 야단맞고 서 있던 직원과 정면으로 마주쳤다. 현주는 그 직원을 보고 말했다.

"너무 마음 상해하지 말아요. 내가 보기에 아줌마가 심했어요."

생각 같아서는 아줌마를 나무라고 싶었지만 그

릴 수가 없었다. 그때 그 직원의 눈이 붉어지면서 눈가에는 눈물이 고여 큰 방울이 뚝 떨어졌다.

내 눈에서도 방울이 뚝 떨어지면서 마음이 아팠다. 직원은 억울함을 삼키며 억지로 입가에 미소를 띤 채 말했다.

"고맙습니다. 괜찮습니다."

여러 날이 지났어도 마음에서 지워지지 않았다. 아픈 상처로 남아 있을 것 같았다.

'그 직원은 어떤 마음이었을까?'

요즘 말로 금수저로 태어났다면 그런 일을 당하고 있지 않았을 것이다. 많은 사람 앞에서 무차별적 큰 소리로 야단치던 아줌마가 도무지 이해되지 않았다.

잘못도 없는 직원을 향해, 손가락질하며 나무랐지만, 직원은 아무 말도 하지 않고 고개만 떨구고 가만히 있었다. 꼼짝없이 당하고 서 있던 모습이 한참 동안 눈에 선했다.

이후 다시 갔을 때는 그 청년이 보이지 않았다. 물어보니 그만두었다고 했다. 그날 이후 그 직원을 볼 수 없었다.

우리 마음 안에 사랑을 지니고 있듯이 화도 누구나 가지고 있다. 젊은이도 당연히 화를 지니고 있었지만, 화를 내지 않았고 삼켰다. 현주는 마음이 짠했다.

'동물에서나 통하는 약육강식이란 말인가? 자기가 강자라고 생각하는 걸까? 물건 사러 오면 강자인가?'

우리가 받은 상처는 가슴 깊숙이 고스란히 남아 저장해 둔다. 물건 사는 사람이 강자가 아니다. 그 직원처럼 참는 사람이 있는가 하면 폭발하는 사람도 있다.

아줌마가 집에 가서 직원의 마음을 헤아려 보길 바란다. 어른으로서 그 직원에 대해 아무런 말을 해주지 못함이 미안했다.

세상은 지배하는 자는 강한 자가 아니라 부드러운 자가 지배한다. 앞에 달린 남의 주머니만 쳐다보지 말고, 뒤에 달린 자신의 주머니부터 먼저 보아야 한다.

03. 거시기 불났다

명숙이는 할머니와 같이 두 식구만 살고 있었다. 방학이 되면 친구들이 모여, 노는 장소로 늘 북적였다. 장난기 많은 순희가 말했다.

"얘들아! 심심한데 참외 서리하러 갈까? 양철 할아버지 참외밭 어때?"

출출한 배를 채울 생각에 모두 낄낄거리며 좋아했다.

'작전 개시!'

모두 6명 중에 1조는 자루를 들었다. 2조는 치마를 입고 참외밭으로 들어가기로 했다. 3조는 참외밭 입구에서 망을 보기로 정했다.

깜깜한 참외밭에 들어서자, 흙이 사정없이 신발 안으로 들어왔다. 다리는 후들거리고 가슴은 두근두근했다.

달디단 냄새가 코를 자극했다. 침 넘어가는 소리가 꼴까닥 들렸다. 참외 냄새에 취해 두려움은 이내 멀어졌다.

'가죽가방부터 채워라! 그야 당연하지!'

코는 달콤한 냄새 쪽으로 옮겨가며 들이댔다. 참외 하나를 뚝딱 땄다. 치마에 썩썩 닦아 앞니로 한 입 했다. 비어있던 위장이 움직이기 시작했다.

몸이 반응하여 내장이 춤을 추는 듯 날뛰는 소리
가 들렸다.

'싱싱한 참외 맛!'

버석, 아싹하는 소리를 끝으로, 껍질과 함께 목
구멍으로 넘어가 버렸다. 옆 친구에게 건네주며
작은 소리로 속삭였다.

"먹어봐! 죽여 준다!"

밭골을 타고 다니며 더듬더듬 큰 놈을 골라 담
으니, 치마 고무줄이 줄줄 내려왔다. 잎을 밟아 미
끄러지고 넘어져서 흙이 옷에 범벅이 되었다.
그것은 문제가 아니었다. 들키지 않고 도망갈
수 있는 것이 문제였다. 밭 언저리를 나오는데 불
빛이 비쳤다.

'이제 죽었다!'

모두 허리를 낮추었다. 쪼그맣고 낮은 돌다리 아래 거북이처럼 엉금엉금 기어서 들어가 납작 엎드렸다.

숨도 쉬지 않고 몸을 숨기고 기다렸다. 하수구에서 올라오는 썩고 지독한 냄새에 구역질이 났다. 일각이 여삼추였다. 한참 후 다행히 아무 일 없이 불빛은 서서히 지나갔다.

"십 년 감수했네!"

참외밭을 나와 미리 정한 약속 장소로 이동했다. 귀한 참외를 모여 앉아 실컷 먹었다. 그날 저녁이 따뜻한 봄날이었다.

이튿날 아침 난리가 났다. 동네 큰길에서 양철 할아버지의 양철 소리는 요란했다.

"어젯밤 참외밭에 도둑이 들었다! 이놈들 잡기만 해 봐! 경찰에 신고할 것이야!"

명숙이는 양철 할아버지의 야단치는 소리보다도, 경찰이라는 소리가 더 등골을 오싹하게 했다.

길을 가다 자신도 모르게 담벼락 아래 몸을 숨겼다. 양철 할아버지의 소리가 잦아들기를 기다렸다.

'얼마나 별났으면 양철이라고 했을까?'
마음속에 있는 양심이라는 놈이 발동했다. 얼굴이 울긋불긋해졌으며, 심장에서 콩닥거리는 소리는 가슴을 심하게 방망이질했다.

명숙이는 쥐구멍이라도 있으면 들어가고 싶었다. 한동안 참외밭 주위를 지나칠 때면, 힐끔힐끔 곁눈질하며 도망가듯 지나갔다.

명숙네 집에서 친구들을 다시 모여 앉았다. 모두 얼굴이 누렁 팅팅하고 힘이라고는 하나도 없어 보였다.

　"참외를 많이 먹어 배탈이 나서 죽다가 살았다! 똥구멍에 불났다! 피도 났다. 야! 수도꼭지 틀면 바로 나온다!"

　명숙의 장난스러운 그 말에, 친구들은 배를 잡고 돌돌 구르며 웃었다. 명숙이는 웃고 있는 친구들을 보며 놀렸다.

　"팬티에 찔끔하지 않았겠지? 냄새가 나는 것 같은데!"

　하루에도 몇 번이나 신문지로 거시기을 닦으니 당연히 따가웠다. 한동안 음식이 들어가면, 배 안에 남아 있던 참외 찌꺼기가 칼로 변하여, 휘저어

대는 아픔은 엄청 고통이었다.

실컷 먹고 나서 원인을 늦게 서야 알았다. 엄마가 하시던 말씀이 사실이었다.

'참외에는 찬 성분이 들어있어서, 많이 먹으면 배탈 난다.'

옷깃을 여미는 겨울 초입! 참외 서리가 잊혀질 무렵이었다. 우리는 다시 모두 모여 앉았다. 여름 겪었던 배탈은 말끔히 잊어버렸다. 웃음소리는 담벼락을 넘었고, 생기가 돌았다. 짓궂기로 소문난 순자가 말했다.

"다들 배는 다 나았지? 오늘 저녁은 무엇으로 배를 채우지?"

듣고 있던 한 친구가 말했다.

"도둑질하지 말자! 죽을 뻔했잖아! 경찰에 잡혀간다!"

순자가 엉덩이를 흔들고 익살스럽게 피식피식 웃으며 말했다.

"뭐 괜찮아! 우리 집 곶감 서리하자! 감이 꺼들꺼들 말라서 몰랑하니 죽여 줄 거다!"

만장일치로 자정이 넘은 시간 행동에 옮겼다. 순자가 먼저 집으로 들어갔다. 홍시와 곶감이 담긴 소쿠리를 담으로 넘겨주었다.

한 친구가 밖에서 조심스럽게 신주 모시듯 두 손으로 받았다. 오는 도중 소쿠리를 안고 돌부리에 걸려 넘어졌다. 눈치 없는 어느 집 개는 요란스럽게 짖어 대고 있었다. 코미디 수준인 현숙이가 말했다.

"아이고! 오늘 밤, 농사는 실농이네!"

모두 입을 손으로 틀어막고 킥킥거리면서 또닥또닥 발걸음을 옮겨 아지트에 도착했다. 다행히 곶감은 적당하게 말라서 괜찮았다.
홍시 두 개는 터져서 죽이 되었다. 함께 홍시와 곶감을 두 사람 먹다가 한 사람 죽어도 모르게 정말 게걸스럽게 거뜬히 먹어 치웠다.

입술에 달콤함을 혀로 핥으며 방긋방긋 즐거운 밤을 보냈다. 어두운 길을 더듬더듬 달팽이처럼 느린 걸음으로 가득 채운 배를 안고 각자 집으로 왔다.

다음날 순자를 만나 아버지 얘기를 들었다.

"어젯밤 홍시와 곶감을 도둑맞았다. 올해 들어 곶감이 잘되어 맛있게 되었는데, 맛도 보기 전에

도둑이 먼저 알고 가져갔네."

순자는 속으로 싱긋이 웃으며 말했다.
'아버지 죄송해요.'

이틀 후 저녁 우리는 다시 헤헤거리며 모였다.
이번에도 큰 문제가 생겼다. 곶감을 먹고 정반대
일이 벌어졌다. 친구들은 예전처럼 두렁 팅팅해
져 있었다. 명숙이가 말했다.

"감을 너무 많이 먹어 막혔다 막혔어!"

이번에는 변비가 생겼다. 한 친구가 말했다.

"참외 먹고는 줄줄 나와서 죽을 것 같았는데, 이
번에는 막혀서 용을 써도 잘 안 나온다. 죽을 지
경이다!
한참을 화장실에 앉아 있으니, 코도 할 짓이 아

니고! 화장실에 앉아 있다가 일어서면, 다리가 저려서 마른 장작이다."

모두 배를 잡고 입이 찢어지도록 웃었다. 우리는 감의 부작용을 그때야 자세히 알았다. 두 번 모두 입은 즐거웠다.

그러나 이번에도 거식기가 큰 수난을 당했다. 내 몸은 내 것이니 내 맘대로 했던 것에 대한 경종을 울렸던 기회가 되었다 그 후에는 조심하게 되었다.

서리는 남의 집 과일이나 곡식을 장난으로 훔쳐 먹었던 시골 옛 풍경이었다, 그 당시 아이들에게 한때 유행했었다.
지금도 양철 할아버지의 야단 소리가 들리는 듯하다. 이웃을 내 집처럼 드나들었던 시절의 정겹고 훈훈한 이야기다.

04. 눈물만 흘리는 인형

3년 전 여름이었다. 오랜 장마로 맑은 하늘을 본 지도, 오래되었다. 언니는 대수롭지 않은 말투로 얘기했다.

"파킨슨병이라네!"

이후 형부에게 들었다. 언니의 병세가 차츰 심해져 우울증과 치매가 동시에 조금씩 진행한다고 했다.

양손이 힘이 없어져 밥을 먹는 것도, 화장실 가

는 것도 누구의 도움 없이는 할 수 없다고 했다. 영아는 전화로 언니의 목소리를 들을 때마다 언니 몸이 심상치 않음을 느꼈다.

어느 날 언니가 갑자기 보고 싶어 달려갔다. 언니가 좋아하는 옷도 입혀보고, 좋아하는 음식도 만들어 먹이고 싶었다.

일주일이 훌쩍 지났다. 아쉬운 시간이었지만 헤어져야 했다. 언니를 안고 한참 울었다. 언니의 슬픔이 가득 차버렸다.

영아는 돌아서 갈려니, 언니의 야위고 하얀 볼 위로 쉴 틈 없이 두 줄기 눈물이 줄줄 흘러내리고 있었다.

떨어지지 않은 발길을 돌려 차에 올랐다. 시동을 걸었지만 떠날 수가 없었고 가슴은 갈라져 찢어졌다.

돌아오는 길에 슬픔은 가슴을 무겁게 격동시켜 운전하기 힘들었다. 늘 든든한 보호자였던 언니가 무엇이 잘못되어 이런 고통을 당해야 하나 생각하니 서러움이 밀려왔다. 하늘이 무심했다.

　그 후 1년이 지났다. 어느 날 형부가 언니 사진을 보내면서 병원에 입원했다는 소식을 전해왔다. 팔도 다리도 자유롭게 움직이지 못하는 언니가 가족과 떨어져 얼마나 무섭고 두려울까? 생각하니 잠도 오지 않고 가슴이 아파 잠시도 편하지 않았다.

　한 이불 덮고 나란히 자던 날들, 눈이 펑펑 내리던 날 뜨끈한 구들방에 누워 도란도란 얘기하다 마주 보고 깔깔웃던 날들이 떠올랐다.

　밥 먹다 뭐가 거리 우스워 밥알이 입 밖으로 튀어나와 엄마에게 야단맞던 날도 기억 속에 남아

있었다. 어찌하여 언니는 이렇게 모진 병을 가지
게 되었는지.

　코로나 때문에 환자와 직접 면회가 되지 않는다
고 했다. 온통 언니 생각에 아무 일도 손에 잡히
지 않았고 불안했다.
　언니 병세는 차도 없이 진행하고 있다는 연락과
함께 침대에 누운 언니 사진이 카톡으로 들어왔
다.

　조카가 보내준 사진에는 반쯤 몸이 기울어져 있
었다. 영아는 언니를 보고와야 살 수 있을 것만
같았다. 기울어져 있는 몸도 바로 세워 앉혀 주고
싶었다.

　병문안 갔다. 코로나 때문에 유리창 넘어 언니
의 얼굴을 볼 수 있었다. 언니가 애처로워 마음이
저려 왔다.

언니의 얼굴은 마치 앙상한 가지를 보는 것 같았다. 언니와 영아의 눈가에 이내 큰 이슬이 맺혔다.

눈에 실린 눈물방울이 조용히 굴러떨어졌다. 예쁘게 단장하고 웃던 예전 언니의 모습은 어디에도 볼 수 없었다. 간병인이 동생을 가리키며 물었다.

"저 사람 누구예요?"

언니는 흐릿한 목소리로 말했다.

"내 동생."

어렴풋이 들리기는 해도 언니의 목소리는 귀청을 슬프게만 울렸다. 간병인이 말했다.

"이름 한번 불러보세요!"

언니는 한참 생각하는 듯 보였다.

"순아."

언니 자신의 이름을 말했다. 뇌 속의 지우개가
동생 이름마저 지워버렸다. 언니는 눈물을 흘리
면서 바라보는 일밖에 할 수 있는 일은 없었다.
문 열고 들어가 손이라도 잡고 싶었지만, 그마저
허락되지 않았다.

저 눈물이 기적으로 변할 수 없을까? 하는 안
타까운 생각이 들었다. 언니는 겨우 알아들을 수
있는 말 한마디를 했다, 확실치 않은 한마디, "가
나?"로 들렸다.

내 가슴에 가시가 되어 심장 한복판을 찌르고 지나갔다. 언니는 영아가 시야에서 없어지는 것이 두려운 것이다. 언니는 나에게 아무 말도 하지 않고 '눈물만 흘리는 인형'이 되어버렸다.

쉬지 않고 흐르는 저 눈물 안에 말 못 할 서러움! 지워지지 않는 것은 무엇일까? 서러움이 차올라 눈물로 줄줄 흘러내리는 것 같았다. 언니의 음성이 바람을 타고 들렸다.

"나 좀 살려줘!"

어떻게 하면 언니를 살릴까? 잠에서 깨면 언니 얼굴이 떠올라 밤을 지새우는 일이 허다했다. 조카가 언니 사진을 보냈다.

한쪽 팔에 붕대를 감고 있었고, 얼굴 한쪽은 파랗게 멍이 들어있었다.

"긴 병에 효자 없다고 하더니. 이게 무슨 말이야? 병원에서 다치다니. 웬 말이냐고!"

화장실에 앉혀 놓고 간병인은 커튼 뒤에 있었는데 넘어졌다고 했다. 미칠 것만 같았다.
언니가 병원에서 다친 모습이 조카들의 탓인 것처럼 여겨졌다. 야속했다.

이후에도 언니 사진을 보냈다. 머리에 습진이 생겨 머리를 깎았다고 했다. 얼마나 가려웠을까? 이 또 무슨 말이야?

좁쌀 크기의 뾰루지 하나 생겨도 가려운데, 손바닥만큼이나 머릿밑에 번져있는 습진이었다. 영아는 가슴이 터지도록 아팠다.

며칠 동안 서나 앉으나 눈물이 자꾸 흘렀다. 영아의 눈도 고장이 났다. 간절히 기도했다.

"우리 언니 아프지 않게 해 주세요"

영아는 언니에게 빚이 많은 것 같았다. 평소 언니를 많이 이해해 주지 못한 것도, 마음에 들지 않으면 언니에게 대들었던 일, 언니에게 좋아하는 것 챙겨주지 못한 일도, 빚으로 마음이 무거울 뿐이었다.

언니를 생각하니 자주 가보지 못하는 것이 마음에 걸렸다. 코로나가 어서 지나가기를 간절한 마음으로 바랐다.

05. 떼굴떼굴 수박

수진이는 여름방학을 맞아 언니와 함께 외갓집에 가는 길이다. 수진은 초등학교 2학년, 언니는 6학년생이었다. 엄마는 커다란 수박을 망에 넣어 언니에게 들게 했다.

수진과 언니는 정류장에서 버스를 기다리고 있었다. 혹시나 버스를 놓칠세라, 땡볕에 비지땀을 흘리면서 버스 오는 길을 끝없이 바라보고 있었다.

한참 후 커버 길 저쪽에서 부릉거리는 소리가

들렸다. 빨간색 버스는 이름표를 달고 뿌연 먼지를 날리며 달려오고 있었다.

일 년에 몇 번 타보지 않았던 버스가 눈앞에 나타나니, 갑자기 얼굴은 열이 오르고 심장은 뛰기 시작했다.

언니는 차에서 눈을 떼지 못하고, 불안한 표정으로 양발을 들었다 놓았다 반복하더니, 오른팔을 앞으로 쭉 내밀어 세워달라는 신호를 했다.

버스 기사 아저씨는 언니가 내민 팔을 보았는지, 흙먼지를 일으키며 털컥 우리 앞에 정지했다. 문이 열리고 기사 아저씨의 말소리가 들렸다.

"꾸물거리지 말고 어서 타라!"

그렇지 않아도 오래간만에 타보는 버스가 낯설

었다. 우물쭈물하는 촌놈들에게 아저씨의 큰 소리는 주눅 들게 했다.

아저씨의 그 말에 부끄러움을 많이 타는 수진은 무안해서 얼굴이 빨갛게 달아올랐다. 언니는 수박을 안고 헉헉거리며 버스에 탔다.

수진이와 언니는 나란히 자리에 앉았다. 버스는 돌자갈 길을 덜커덩덜커덩 정신없이 흔들어대며 달리고 있었다.

언니는 수박이 굴러 깨질 것을 염려해, 다리 안쪽으로 고정했다. 한참 가는 도중 버스가 훌쩍 뛰어오르고 내리는 사이, 언니 몸이 이리저리 마구 쏠렸다.

그때였다. 수박이 사정없이 떼굴떼굴 빠르게 굴러, 언니 다리 사이를 빠져나와 앞 의자 쪽으로 가버렸다.

언니는 일어나 수박을 잡았다가 놓치기를 반복했다. 달리는 차 안에서 떼굴떼굴 수박과 언니는 같이 굴러대고 있었다.

언니를 바라보고 있는 수진은 마음이 조마조마했다. 그렇다고 같이 구를 수도 없었고, 어떻게 할지를 몰라 정신이 없었다. 수진은 언니보다 떼굴떼굴 구르는 수박이 더욱 걱정되었다.

만약 수박이 떼굴거리다가 부딪쳐서 깨지는 날에는, 차 안에 붉은 물로 수박 바다가 될 것이다. 상상만 해도 걱정이 되고 아찔했다.

언니는 한참 굴러다니는 수박을 사생결단으로 맞서며 간신히 두 팔로 안았다. 에어컨도 없었던 시절 땀을 뻘뻘 흘리고 버스에서 한바탕 난리를 쳤다. 언니는 뜨거운 숨을 몰아쉬며 말했다.

"어이구 내가 죽는 줄 알았다!"

가까이 왔을 때는, 난로를 가져다 놓은 것같이 뜨거운 화기가 전해졌다.

"휴."

언니는 땀과 먼지로 범벅이 된 얼굴을 훔치며, 한숨을 쉬었다. 수진은 언니한테는 미안하지만, 그 광경이 우스워서 킥킥킥 소리 나지 않게 웃었다.

언니는 수박을 신주 모시듯 둘 사이에 끼어 놓았다. 버스는 바깥 경치가 보이지 않은 만큼 탁한 먼지를 날리며 날쌔게 달리고 있었다.

"아저씨 세워 주세요!"

시끄러운 차 안에서 누군가 내린다고 말을 하는

것 같았다. 버스는 서서히 속도를 낮추며 정지를 준비하고 있었다. 어떤 아줌마가 큰 짐 보따리를 들고 문 앞에서 손잡이를 붙잡고 넘어질 듯 흔들리고 있었다.

버스 문이 드르륵 소리를 내며 열렸다. 언니는 수진의 옷을 급하게 잡아당기며 말했다.

"빨리 내리자!"

언니를 따라 내렸다. 버스는 우리를 내려 주고 뿌연 먼지를 일으키며 사라져갔다. 언니는 사방을 두리번거리더니 눈동자가 커지면서 지렁이 밟은 얼굴로 변했다.

"큰일 났다! 한참을 더 왔네! 미치겠다!"

언니는 '아저씨 세워 주세요.'라는 말을 하지 못

해, 내려야 할 곳에서 몇 정거장을 더 지나와 버렸다. 수박과 함께 버스 안에서 굴러다녔던 일이, 창피하고 부끄러워서 말이 나오지 않았다.

수진이와 언니는 뜨거운 햇볕이 내리쬐고 먼지가 날리는 신작로를 되돌아 걷기 시작했다. 언니는 무거운 수박을 양손으로 번갈아들고 가다 보니 두 손이 열이 올라 벌게져 몹시 아파 보였다.
"저기 외갓집 동네가 보인다!"

두 소녀의 얼굴에는 쥐새끼가 서너 마리 기어다닌 자국이 보였다. 먼지투성이가 된 서로를 쳐다보며 환희의 함성을 질렀다.

오아시스를 만난 아이들처럼 힘든 것도 잊어버리고, 너무 반가워서 하얀 이빨을 드러내고 한낮 해바라기같이 활짝 웃었다.

어느덧 해가 서서히 넘어가고, 시원한 바람이 들판에서 불어오고 있었다. 걷다 보니 기온이 조금씩 내려가는 저녁 무렵 외갓집에 도착했다.

외갓집 식구들이 반갑게 맞아주었다. 외숙모는 수박을 보고 깜짝 놀라며 칭찬을 아끼지 않았다.
"너희들 이렇게 큰 수박을 가지고 오느라 얼마나 고생했니?"

두 소녀는 그 말 한마디에 위로가 되어 쓰리고 아프던 손이 낳아 열이 식었고. 금세 기분이 좋아졌다. 그날 저녁, 수진과 언니는 녹초가 되었다.

누가 업고 가도 모를 정도로 깊은 잠에 빠져들었던 탓에, 간밤 팔다리는 모기들의 잔치였다. 피가 나도록 팔다리를 긁었다.

수진이는 훗날 세월이 많이 지나도 수박을 보면, 떼굴떼굴 구르는 그때 그 수박이 생각났다. 내릴 장소를 지나쳐 먼 길을 걸어 고생했던 것도 추억이 되었다.

　'외갓집 근처 상점에도 수박이 있을 터인데, 엄마는 굳이 무거운 수박을 들고 가라고 했을까?'

06. 다복다복 실린 꽃송이

6월 초여름, 사라질 듯 여린 아카시아꽃! 부드러운 향이 코로 들어와 금방 미소가 일었다. 바람결이 꽃잎 사이사이로 스스럼없이 드나들어, 이리저리 흔들며 지나다녔다,

'아기 향과 아기 피부 같은 아카시아꽃!'

친구 모임이 있는 날이었다. 오랜만에 외출이라 평소 입지 않았던 옷을 꺼내어 차례로 입어 보았지만, 영 맵시가 나지 않았다. 낮은 신발을 신고

약속 장소에 도착했다. 식당 입구에서부터 이야기를 나누느라 시끌시끌했다.

  우리는 식사하면서 재미있게 이야기꽃을 피웠다. 커피숍으로 자리를 옮겨 아쉬움을 달래는 시간을 길게 가졌다.

  귀가하는 길에 같은 방향으로 가는 친구 성희를 내 차에 태워 동행하게 되었다. 나와 성희는 마음 한구석에 겹겹이 쌓아두었던 이야기를 하고 있었다.

  한참을 가던 중에 살짝 내려진 유리창 사이로 아카시아꽃 향이 살포시 스며들어 향기로 가득 채워졌다.
  소복소복하게 달린 꽃송이가 무게를 이기지 못하고, 애처롭게 아래로 늘어져 나를 유혹하고 있었다. 도로 가까이 언덕을 채우고 있는 꽃들이 장관이었다.

아름다운 꽃동산을 그냥 지나치는 것은 예의가
아닌 것 같았다. 나는 성희를 향해 고개를 돌리며
말했다.

"어머나 벌써 아카시아꽃이 많이 피었네! 천국
이 따로 있나! 잠시 여기서 쉬었다 가자!"

성희는 내키지 않은 듯 겨우 입을 열었다.

"나는 아카시아꽃을 보면 화가 나서 보기도 싫
다!"

깜짝 놀라 성희 눈치를 보며 말꼬리를 내리며
말했다.

"왜?"

성희는 약간 상기된 모습으로 아카시아꽃이 싫은 이유를 설명하기 시작했다.

"나는 어릴 적 우리 집이 가난해서 끼니를 굶는 날이 많았다. 주린 배를 채우느라 아카시아꽃을 많이 따먹었다. 꽃은 아무리 먹어도 서러움만 차더구나!

지금도 아카시아꽃을 보면 왠지 도망가고 싶고 짜증이 난다. 배고픈 하루를 견디기 힘들어, 근처 둑에 가서 '삐삐'라는 풀을 뽑아 새순을 발라 먹었다.

허기를 달래기 위해, 도랑 가를 따라 삐쭉삐쭉 자란 찔레나무 순을 꺾어 껍질을 벗겨 먹었다. 가지를 꺾다가 손가락을 찔리는 일이 허다했다.

가시에 찔린 팔과 다리는 상처로 변하여 늘 부

스럼을 달고 살았다. 내 별명이 '부스럼쟁 이'인 줄 모르지? 배가 고파도 참을 수밖에 없었고 누구에게도 이야기할 수 없었다.

그럴 때마다 엄마가 미웠고 원망스러웠다. 배는 등짝에 바짝 달라붙어 있어도 눈물은 흐르더구나!

나는 어릴 적 아버지와 어머니가 일찍 돌아가셨다. 삼촌 집에서 살았다. 삼촌 집에도 사촌 동생들이 있으니 눈치가 보여 자연히 끼니를 굶는 날이 많았다."

성희의 이야기를 듣고, 배고픔을 모르고 살아온 나는 죄인이 된 듯 성희와 눈을 마주할 수가 없었다. 저녁 시간이 되어갈 무렵, 성희 아파트에 내려주고 집으로 왔다.

그 후 며칠이 지났지만, 충격적인 성희의 이야기는 머리에서 지워지지 않았다. 나는 성희가 가시에 팔과 다리를 찔렸을 때 그 상처만큼이나 아픔이 내 가슴에 와닿았다.

성희는 처음으로 꺼내고 싶지 않은 자신 내면에 슬픈 얘기를 꺼내었다. 어쩌면 어릴 때처럼 자신의 얘기로 후회할 수 있다.

사람의 억울한 감정은, 어떤 대상이건 잃어버렸거나 박탈당했을 때 나타난다. 화와 분노는 사랑과 마찬가지로 누구나 흔하게 가지고 있는 정상적이고 당연한 감정이다.

그것을 어떻게 처리하느냐에 따라 인생의 질이 달아질 수 있다. 슬픈 감정에 지배당하기보다 억울했던 일 들을 벗어 버리고 내려놓을 때, 힘들었던 느낌이 사라지고 내 안에 자유가 찾아든다.

성희의 이야기를 듣기 전에는 아카시아꽃 향이
그저 좋았을 뿐이었다. 그 누구에게 아카시아꽃
이 슬픈 꽃인 줄 모르고 살았다.

　금방 사라져 없어질 것 같은 아카시아꽃이 다른
사람의 내면에 들어가 상처가 된다는 것이 짠한
느낌으로 내 마음을 슬프게 했다.

07. 엄마의 그 자리

엄마가 앉았던 그 자리에 이젠 제가 앉아 있습니다. 가을 단풍이 참으로 곱게 물들었습니다. 단풍잎 하나인즉 가려진 사연 없이 떨어지랴.

소슬바람이 각양각색의 낙엽을 등에 업고 떠날 채비를 하고 있습니다. 엄마가 계신 그곳에도 가을이 왔는지요?

전 '엄마'라는 말만 들어도 눈가에 이슬이 맺힙니다.

철없는 생각에 엄마는 언제나 내 곁에 계실 것 같았습니다.

그러나 저의 착각이었습니다. 지난 시간을 돌이켜보면, 엄마에게 잘못한 것만 생각이 납니다. 가을 철새가 하늘 드높이 나르던 어느 가을이었습니다. 엄마는 말씀하셨습니다.

"단풍이 꽃처럼 예쁘다! 꽃이 아무리 예쁘다고 해도 인간 꽃이 가장 예쁘다!"

엄마의 그 말씀은 가슴에 숨겨 놓았던 자식 사랑이었습니다. 자글자글 주름졌던 엄마의 얼굴이 떠올라치면, 그저 목이 메일뿐입니다.

'나는 엄마를 위해 무엇을 했나?'

엄마가 늘 우리에게 하시던 말이 있습니다.

"나는 괜찮다."

정말 괜찮은 줄만 알았습니다. 곰곰이 생각하면
참이 아니었습니다. 딸 부부와 여행 갔을 때 있었
던 일입니다. 딸이 물었습니다.

"엄마! 불편하지 않으세요?"

나는 엄마와 똑같이 대답했습니다.

"나는 괜찮다."

예전에 엄마가 하시던 것처럼 말하고 있었습니
다. 제 모습에서 엄마의 모습을 보았습니다. 코끝
이 찡했습니다.

저는 엄마에게 살갑고 따뜻한 딸도 아니었습니
다. 용돈도 넉넉하게 드리지 못했습니다.

용돈 봉투 안에 지폐 몇 장을 넣어놓고 한 장을 뺐다 넣었다 했습니다. 제가 그렇게 못난 딸이었습니다.

엄마! 정말 미안합니다. 나이가 들수록 지갑이 불룩해야 든든하다는 것도 몰랐습니다. 자식에게 받은 돈이 어르신들의 자존심인 줄 몰랐습니다.

엄마는 다리가 불편하여 오랫동안 병원에 입원하셨습니다. 저는 매일 아침 6시 일어나 병원에 달려갔습니다.

추울 때는 가기 싫은 적도 있었습니다. '하루쯤 거를까?' 생각도 했었습니다. 어느 순간 뒤통수를 강하게 맞은 것 같기도 했습니다. 고개를 들지 못할 만큼 죄스러웠습니다.

온종일 문 쪽을 바라보며 저를 기다리는 엄마의

얼굴이 떠올라, 병원으로 뛰어갔습니다.

저를 본 엄마는, 눈꺼풀을 힘껏 올리시고 입을 아래위로 크게 열어 소리 없이 화사하게 웃어주셨습니다.

그때 천사 같은 엄마 얼굴이 지금도 눈에 선합니다. 얼마나 미안했던지. 엄마가 말씀은 하시지 않았지만, 얼굴에 쓰여 있었습니다.

'기다렸다! 고맙다!'

긴 시간 병원에서 얼마나 답답하셨는지요? 제가 병원에 가지 않으면 엄마는 올 수 없습니다. 엄마가 몸을 움직여 걸어 다닐 수 없다는 사실에 가슴이 갈라져 눈물이 주르륵 흘렀습니다.

이후 다시는 '하루쯤 거를까?' 라고 생각하지 않았습니다.

그 많은 날, 우리가 속 썩이고 힘들게 했던 세월을 내색 한번 하지 않으시고 어떻게 사셨습니까?

어리석게도 저는 당연히 '엄마가 1순위'인 줄 알고 있었습니다. 제가 실제로 하는 행동을 보니, '엄마가 1순위'가 아니었습니다.

저는 엄마를 최우선으로 살뜰히 챙겨드리지 못했습니다. 엄마! 제가 잘못했습니다.

엄마가 먼 길 떠나가시고 유품을 정리하다가, 노란색 반짝이가 간간이 박힌 지갑이 있었습니다. 주민등록증과 저금통장이 들어 있었습니다.

주민등록증에는 엄마 모습과 목소리가 들어 있었습니다. 사진관에 가려고 옷을 갈아입으며 말씀하셨습니다.

"나이들은 모습은 사진에도 보기 싫다."

주민등록증 사진은 지금 봐도 우리 엄마 모습이 고우십니다.

저금통장을 보고 너무나 가슴이 아팠습니다. 우리가 드린 돈이 그대로 소복이 쌓여 있었습니다.

"아끼지 말고 쓰시지 왜 그러셨습니까?"

엄마! 이제 우리 걱정은 내려놓으시고, 아프지 말고 만나는 그날까지 편안하게 지내세요. 엄마가 내 엄마여서 너무 행복했습니다.

엄마! 다음 생에도 거꾸로 '딸과 엄마로' 로 만났으면 좋겠습니다.

사랑합니다! 우리 엄마!

08. 목단 그림

　영숙이는 교회 활동을 적극적으로 하는 주부였다. 마침 알고 지내던 언니가 근처로 이사를 왔다. 영숙은 언니와 남들이 부러워할 만큼 허물없이 잘 지내고 다녔다.

　일 년이 지난 어느 날, 언니가 영숙 집을 방문했다. 큰 액자를 들고 들어와서 말했다.

　"후배 화가 그림인데 동생에게 선물하려고 가지고 왔다."

목단 민화였다. 영숙이는 그림에는 조회가 없었지만, 거실에 걸어놓으니, 붉은 목단 그림이 어울렸다. 목단은 부귀영화의 상징이다.

이후 영숙은 언니와 더 가까이 지냈다. 만날 때마다 '도자기' 등 선물로 주었다. 시간이 날 때면 같이 식사도 자주 했다.

하루는 친구가 하는 것이라며, '정수기'를 사라고 권했다. 오래된 정수기를 떼어버리고, 언니가 권한 값나가는 '정수기'로 바꾸었다.

같이 다녀보니, 친한 교우들 집을 자주 방문했다. 그럴 때마다 언니는 자기의 물건을 소개하면서 권했다.

몇 달이 지난 어느 날 영숙이 집을 방문했다. 언니가 심각한 얼굴로 말했다.

"작년에 선물한 그림 있잖아. 천만 원 하는 건데, 오백만 원만 받을게."

영숙이는 깜짝 놀라 농담이 아닌지 싶었다. 입속으로 중얼거리며 말을 흘렸다.

"언니! 선물이라면서?"

언니는 겸연쩍게 웃으며 말했다.

"그렇게 했으면 좋겠지만, 사정이 좀 그러네. 워낙 비싼 그림이라서 말이야!"

영숙은 생각할수록 뭔가 이상했고 개운하지 않았다. 속이 상했다. 그림을 받은 지 오래되었고 물건을 도로 돌려줄 수도 없었다.

'나를 호구로 보나?'

따지고 싶었지만, 마음 같지 않았다. 원하는 금액을 바로 주고 싶지는 않았다. 같은 교우끼리 그러자니 자주 볼 건데! 오후까지 생각하다 눈 질끈 감고 원하는 금액을 입금했다.

좋아 보이던 그림이 예전처럼 좋아 보이지 않고 흠결이 눈에 들어왔다. 사기를 당한 기분이 어떤 것인지 이해가 갔다.

영숙이는 이미 지난 일로 이야기하고 싶지 않았다. 언니와 가까이 지내다 보니, 눈에 보이지 않았던 다른 면들도 보이기 시작했다.

시간이 지날수록 자신과 같은 사람들이 많이 있다는 소문이 들려왔다. 방법이 똑같았다.
다른 사람들 역시 적당히 가까워져, 거절할 수 없을 만큼 친해졌을 때 같은 방법으로 물건을 팔았다.

넓은 아파트에 사는 사람, 경제적으로 여유 있어 보이는 사람에게만 접근했다. 물건을 그냥 선물하는 것처럼 해놓고, 나중 물건값을 회수하는 방법이었다.

당한 사람들은 어쩔 수 없이 물건값을 달라하니까 줄 수밖에 없었고, 속이 상해도 말 못 하고 넘어갔다는 하소연이 들렸다.

모든 일에는 반드시 대가가 있다. 그냥 인 줄 알고 지나갔지만, 그냥인 것은 언제나 다른 모양으로 나타났다.

'공짜는 일곱 배나 비싸다.'
나중에 불편하지 않으려면, 당시 확실히 하는 것이 후환이 편하다. 마무리가 좋아야 좋은 관계를 오래 유지할 수 있다.

09. 제발 부르지 마라

숙희는 사무실 복도에 들어서면서 큰 소리로 내 이름을 불렀다.

"춘~자~야!"

숙희는 자주 들려 근황을 알려 주고, 주름이 늘어가는 모습을 보여주는 이야기꾼 친구였다. 때와 장소를 가리지 않고 큰 소리로 이름을 불러 대는 친구다.

나이 들어가면서 불러주니 반갑기는 하여도. 가끔은 당황할 때도 있다.

친구라도 상대의 위치에 맞게 행동하고 말하면서로 간에 불편한 마음이 일어나지 않을 것인데. 자신의 마음을 알아주는 사람과의 관계는 오래 유지되지만, 불편한 사람과의 관계는 오래 유지되지 않는다. 춘자는 숙희의 그런 태도가 조금 못마땅했다.

춘자는 남모르는 이유가 더 있었다. 그렇지 않아도 어릴 때부터 이름이 촌스러워서 누가 대놓고 부르면 대답도 하기 싫어 숨던지 도망갔다.

사람은 때로 복장이 자신의 품격을 대신해 줄 때도 있다. 첫인상과 복장이 그 사람의 인격을 말해 주는 경우가 있다.

숙희는 집에서 일할 때 입는 복장으로 다니는 친구다.

'어이구 좀 이쁘게 하고 오지!'

우리 사무실에 올 때도 당연히 일하는 복장에 모자를 둘러쓰고 왔다.

인간은 시각적인 동물이다. 상대방의 흠결이 더 잘 보이는 것이 사실이다. 마음 한구석에서는, 찾아온 친구가 멋쟁이는 아니라도 초라해 보이지 않았으면 했다. 조금은 깔끔하게 하고 왔으면 하는 생각이 들때도 없지 않았다.

사람마다 고정관념이 있어 쉽사리 벗어나지 못하는 면이 있다. 자신의 신념 같은 것인데, 우리는 자신의 정해 놓은 틀에 맞지 않으면 받아들이려 하지 않는다. 그러나 같은 값이면 다홍치마라고 하지않던가.

어느 날 아주 중요한 일로 거래처와 대화하는 도중, 숙희는 노크도 없이 문을 덜컹 열었다. 큰 소리로 외쳤다.

"박~춘~자!"

그날따라 신이 났는지, 우쭐대는 목소리로 성까지 넣어서 불러댔다. 사무실에서 숨을 수도 없었다.

너무 난감하여 친구를 떠밀어 밖으로 데리고 나왔다. 몹시 불편했다. 춘 자는 설명도 하지 않았다. 재미없이 응대하고 쫓아내듯 돌려보냈다.

"오늘 바쁘거든! 좀 나가자!"

숙희는 자신을 무시한다고 생각할 수도 있겠다 싶었지만, 상황상 어쩔 수 없었다. 그 후는 자주 드나들던 발걸음 소리는 들리지 않았고 전화도 오지 않았다.

'삐쳤나?'

숙희의 이야기를 편하게 들어주어야 하는데 그러지 못한 것이 춘 자 마음에 걸려있었다. 이후 전화기를 보면 마음 한쪽은 늘 숙희 대한 미안함으로 자유롭지 못했다.

전화번호가 눈에 띌 때면 편하지 않았다. 언젠가 숙희에게 늦었지만 먼저 전화해서 사과해야겠다고 마음먹었다.
그러던 어느 날 숙희한테서 전화가 왔다. 춘자는 오랜만에 전화를 받고, 그때 이야기를 하고 미안함을 전했다.

"그때 속상했지? 미안해 용서해줘!"
숙희는 우리 그런 거 없어야 하면서 이전보다

더 큰 소리로 불렀다.

"박~춘~자! 오해는 풀라고 있는 거야. 풀지 않으면 육 해가 되는 거야!"

이후 친구의 별명은 털털 털어버린다 '털털이 친구'라 불렀다.

10. 유한한 삶

　천둥소리에 놀라 잠에서 깨어보니, 밖에는 장대
비가 세차게 몰아치고 있었다. 번갯불이 번쩍번
쩍 천지가 암흑같이 어둡고 무서웠다. 전화벨이
울렸다.

　"이모! 엄마가."

　전화는 끊어졌다. 시간을 다투며 힘들게 견디고
있을 언니를 생각하니, 힘이 빠져 일어설 수가 없
었다. 나를 한 번이라도 더 보기 위해 눈을 뜨고

있을지 모를 언니에게 어서 가야 한다는 마음뿐이었다.

서둘러 옷을 걸치고 집을 나섰다. 차는 쏟아지는 빗속을 헤치고 달리기 시작했다. 속도가 붙을수록 비는 거칠게 차창을 내리치고 있었다. 불안감에 한기를 느꼈다.

대학병원 응급실에 도착했다. 중환자실에 들어서니 뼈만 남아 앙상하고 백지 같은 얼굴이 생전 엄마의 마지막 모습 같았다.

언니와의 시간이 얼마 남지 않은 듯했다.
언니 옆에는 내가 있기로 했다. 몇 시간이라도 같이 있고 싶었다.
간호사들은 수시로 혈압을 확인했고, 매달려 있는 링거액에 여러 개의 연결선으로 약을 주입하고 있었다.

밤이 깊어 갈수록 언니의 몸은 불덩이처럼 펄펄 끓었다. 머리와 팔다리에 심한 경련을 일으키며 떨기 시작했다.

나는 언니의 머리를 두 손으로 붙들고 기적이 일어나기를 기도했다. 시간이 지날수록 고열에 시달리고 있었다.

"언니! 힘들지?"

언니 얼굴과 내 얼굴을 마주 비비며, 고통에서 벗어나게 해달라고 간절히 애원했다. 무심하게도 약도 기도도 듣지 않았다.
돌아가신 어머니 아버지를 불렀다.

"언니의 고통을 없앨 수 없다면 어서 데리고 가세요!"

언니는 가끔 눈동자를 돌려 나를 쳐다보는 듯하다가 이내 반대로 돌아가곤 했다.

그렇게 밤을 꼬빡 새며 사투를 벌이는 사이에 날이 밝아왔다. 실눈으로 나를 보았는지, 내 목소리가 들렸는지, 언니의 눈가에는 보일 듯 말 듯 이슬 같은 눈물이 자작자작 고였다.

고통의 눈물일까? 혼자 떠나야 하는 서러움의 눈물일까? 가는 길에 나한테 무엇을 말하려 했을까?

야속하게도 운명의 시간을 속절없이 지나가고 있었다. 오늘은 언니가 이 세상을 떠날 것 같은 생각이 들었다.

심장 깊은 곳에서 뜨거운 눈물이 북받쳐 열기를 내 뿜으며 피눈물로 변하여 흘러내리고 있었다. 갑자기 간호사들이 바쁘게 움직였다. 담당 의사가 청진기를 목에 걸고 들어왔다.

"ㅇㅇㅇ씨는 ㅇ시 ㅇ분에 사망했습니다."

어제 심하게 내리던 비는 어디론지 먼저 가버리고 하늘은 조용했다. 언니의 흐릿하던 눈빛도 눈까풀도 움직일 힘마저 놓아버렸다.

마지막 가랑잎에 작은 불씨 하나처럼 사르르 꺼져갔다. 창백한 얼굴은 차고 차 보였다. 목을 타고 내려가던 산소마저 반납한 듯 조용했다.

언니를 목청껏 불렀지만, 그 소리는 메아리가 되었고 영혼은 이미 떠나고 없었다. 항상 아껴 주고 챙겨주던 언니는, 나를 두고 깊은 잠 속으로 빠져들었다.

나는 추운 겨울 허허벌판을 헤매고 있었다. 모질게 불어대는 매서운 바람에 못 이겨 하나 남은 잎새마저 떨어졌다.

담벼락 아래 나뭇잎들은 질서 없이 어디로 가는
지 흩어지고 있었다.

 겨울 칼바람이 가슴 구석구석을 후벼 파는 듯했
다. 다시는 볼 수 없는 사랑하는 언니를 안고 절
규했다.
 나는 지나간 세월을 그리워하고, 오지도 않은
날들을 두려워하는 삶에서, 한 발짝 비켜서서 세
상을 바라보게 되었다.

 어차피 누구에게도 삶은 유한한 것이 아니었던
가! 제 몫만큼 견뎌야 하는 것이라서 나도 순응하
며 버텨보기로 했다.

11. 가슴 절절한 사랑의 향

 행자네 집 마루 한쪽에는 돌 다듬이가 놓여있었다. 그 위에 하얀 보자기 안에는 풀 먹인 흰 광목 이불 홑청이 들어 있다.

 엄마는 계절이 바뀌거나 명절이 가까워지면 이불 세탁하는 날로 정하여 그날은 엄마의 연중행사였다. 마루에는 빨랫감이 늘어져 있었고 이불 홑청에서 뽑아 올린 실이 여기저기 흩어져 있었다. 엄마는 홑청 벗기는 일이 끝나면, 빨랫감에 뜨거운 물을 부어 냇가로 갔다. 냇물이 꽁꽁 얼어,

돌멩이로 얼음을 깨트렸다.

엄마는 감각이 없어진 손을, 집에서 가져온 식어버린 미지근한 물로 적셔 녹였다. 시린 손으로 나무 방망이로 빨래를 두들긴 후, 두 팔로 있는 힘을 다해 치대고 주물렀다.

얼음물에 담긴 엄마의 손가락이 붉은 색깔로, 잘 영글어 있는 가을 고추 색깔로 변했다. 엄마의 손이 얼마나 시리고 아플까? 행자는 슬펐다.

엄마는 구부러지지 않는 뻣뻣해진 손으로 빨래를 비틀어 짜고 담아서 집으로 왔다.
씻어 온 광목 홑청을 가마솥에 넣어 푹푹 삶았다, 삶은 빨랫감을 머리에 이고, 다시 냇가로 가서 빨기 시작했다.

이후 집으로 돌아온 엄마는 빨랫줄에 길게 늘어

놓았다. 빨래가 마르면 홑청에 끓인 풀을 먹였다. 풀을 먹일 때는 풀물이 빨래에 스며들 때까지, 돌려가며 팔이 아프도록 치댄다.

이유는 빨래가 풀로 코팅이 되어서 홑청이 쉽게 더럽혀지지 않고, 세탁할 때도 때가 잘 빠진다. 세제가 없던 때라 어른들의 지혜였다.

풀 먹인 홑청이 적당히 마르면, 걷어서 물을 분사해서 주름을 펴는 일이 시작되었다. 엄마는 물을 뜨다가 입 가득 머금고 '푸'하여 입이 분사기였다. 손으로 물을 뿌리기도 했다.

그런 후, 행자와 엄마는 홑청을 당기는 일을 했다. 마주하여 끝을 잡고 당기는 일이 어린 행자는 늘 바쁜 엄마가 놀아주니 좋았다.

행자는 한쪽 끝을 잡고 엄마는 마주 보는 끝을

잡고 기울여 가면서 당기다가, 힘에 부쳐 홑청을 놓아버리는 일이 자주 일어났다.

엄마는 그럴 때마다 실수한 행자에게 부드러운 눈웃음으로 무한 사랑을 표현했다.

"엄마 힘이 너무 센가? 괜찮아! 또 하자!"

다음 차례는 빨래가 때 묻지 않게 보자기에 싸서 발로 밟는 일이다. 밟아서 홑청의 잔주름을 없애는 일이다.

이후 홑청을 돌 다듬이 위에 올려놓고, 양손에 작고 귀여운 방망이를 들고 두드린다. 엄마는 짬 날 때마다 그 빨래를 두 방망이로 또닥또닥 소리 내어 두드렸다.

행자는 학교를 갔다 오는 길에 또닥거리는 소리가 들리면, 기분이 좋아 달려왔다.

'엄마가 집에 있구나!'

엄마가 없으면 왠지 쓸쓸하고 허전했다. 방망이를 두드리는 소리는 행자에게는 엄마의 모습이 담긴 소리였다.

마지막으로 바늘로 꿰매면 끝난다. 엄마는 세탁에서부터 이불 꿰매기까지를 소홀히 하면, 홑청이 반질반질하지 않아서 보기에도 좋지 않다고 했다.

추운 겨울, 밖에서 들어와 구들목에 누웠다. 이불 홑청에서 풍기는 은은하고 향긋한 풀냄새가 좋았다. 돌 다듬이로 두들겨서 반질반질해진 촉감이 비단과는 비교할 수 없었다.

풀을 머금은 상큼한 냄새는, 현재 일반적으로 사용하는 세제의 향과는 비교가 되지 않을 자연의 순수한 어머니의 향이었다. 몸이 닿을 때 가슴 절절한 엄마의 사랑이 묻어나는 향이었다.

행자는 이불을 덮고 자다 저절로 꿈나라로 이끌려 갔다. 아침이 오는지도 가는지도 모르고 늦잠을 자다가, 엄마가 부르는 소리에 일어났다. 시골 골목길에 간간이 들리는 소리였다. 가까이 다가갈수록 들린다.

"따닥따닥!"

멀어질수록 가늘고 애달픈 얘기 소리였다. 그때 엄마의 다딤이 돌소리는 잠들기 전, 아름다운 멜로디로, 다시 듣고 싶은 그리운 엄마의 자장가였다.

"또닥또닥!"